人文武术精品书系

勿使前辈之遗珍失于我手

勿使国术之精神止于我身

孙禄堂

八卦剑学

武学名家典籍丛书

孙禄堂武学集注

孙禄堂·著
孙婉容·校注

北京科学技术出版社

孙福全（1860—1933年），字禄堂，世以字行，号涵斋。河北完县（今河北顺平）人。资质聪颖，性情温和。幼从李魁垣读书习拳。继从李之师郭云深公深造。后闻北京程廷华精八卦掌，遂朝从程，暮从郭，研习两家拳法，功夫深厚，享名于京。因其相貌清癯，身材巧小，动作轻灵，时人有「活猴」之誉。五十余岁又从郝为桢学太极拳，晚年冶太极拳、形意拳、八卦掌技法于一炉，创进退相随，圆活敏捷的孙氏太极拳，并提出太极、形意、八卦三家会合为一体，一体分三派，「三派姿势虽不同，其理则一也」之理论。1928年，被南京中央国术馆聘为武当门门长，嗣改就江苏省国术馆教务长。孙禄堂喜研周易、丹经，据以阐发拳理。著有《形意拳学》《八卦拳学》《太极拳学》《拳意述真》《八卦剑学》等。

八卦剑学

一代宗师孙禄堂

孙禄堂（1860年12月—1933年12月），讳福全，晚号涵斋，河北省完县人，是清末民初蜚声海内外的儒武宗师，有“虎头少保”“天下第一手”及“武圣”之称誉。

孙禄堂从师形意拳名家李魁垣，艺成被荐至郭云深大师处深造。之后又承武林大家程廷华、郝为桢亲授，并得宋世荣、车毅斋、白西园等多位武林前辈的认可点拨。郭云深喜而惊叹曰：“能得此子，乃形意拳之幸也！”程廷华赞曰：“吾授徒数百，从未有天资聪慧复能专心潜学如弟者。”郝为桢叹服：“异哉！吾一言而子已通悟，胜专习数十年者。”孙禄堂南北访贤，得多位学者、高僧、隐士、道人指点，视野广开，尤其在《易经》、儒释道哲理、内丹功法方面，收益奇丰。孙禄堂精通形意拳、八卦拳、太极拳三拳，他以《易经》为宗旨，融会古今，打通内外，提出“三拳形虽不同，其理则一”的武学理念。孙禄堂已出版《形意拳学》《八卦拳学》《太极拳学》《八卦剑学》《拳意述真》五本武学经典。

孙禄堂创建的“孙氏太极拳”，在国术史上首次提出及印证了“拳与道合”这一经典命题，是太极拳发展史上的一座里程碑。

孙禄堂第一个提出：在文化领域里，武学与文学，具有等同的价值；又率先提出“国术统一”的思想，这在当时中国武术界引发了极大的反响。

孙禄堂集武学、文学、书法、哲学、教育学、社会学等多科学问于一身，武有成，文有养，是文武共舞共融的实践者。

右图 孙禄堂先生（右）与其子存周

下图 1956年，孙存周和妻子钱芝兰（前右）与长女叔容（右一）、次女季容（左一）、三女婉容（右二）、子宝亨（左二）合影

蛰龙翻身图——

右手之剑外扭上抬，剑尖与心口相平，

乃动根不动稍之式

白猿托桃图——

腰随剑转，右腿里根亦随腰往右胯扭转。

里腿根要圆，不要棱角

孙禄堂思维超前，第一个提出：武学，在文化领域里，具有与文学等同价值。孙禄堂是最早使用“拳学”“剑学”为拳剑著作命名的先驱者，提升了武学的文化层面。

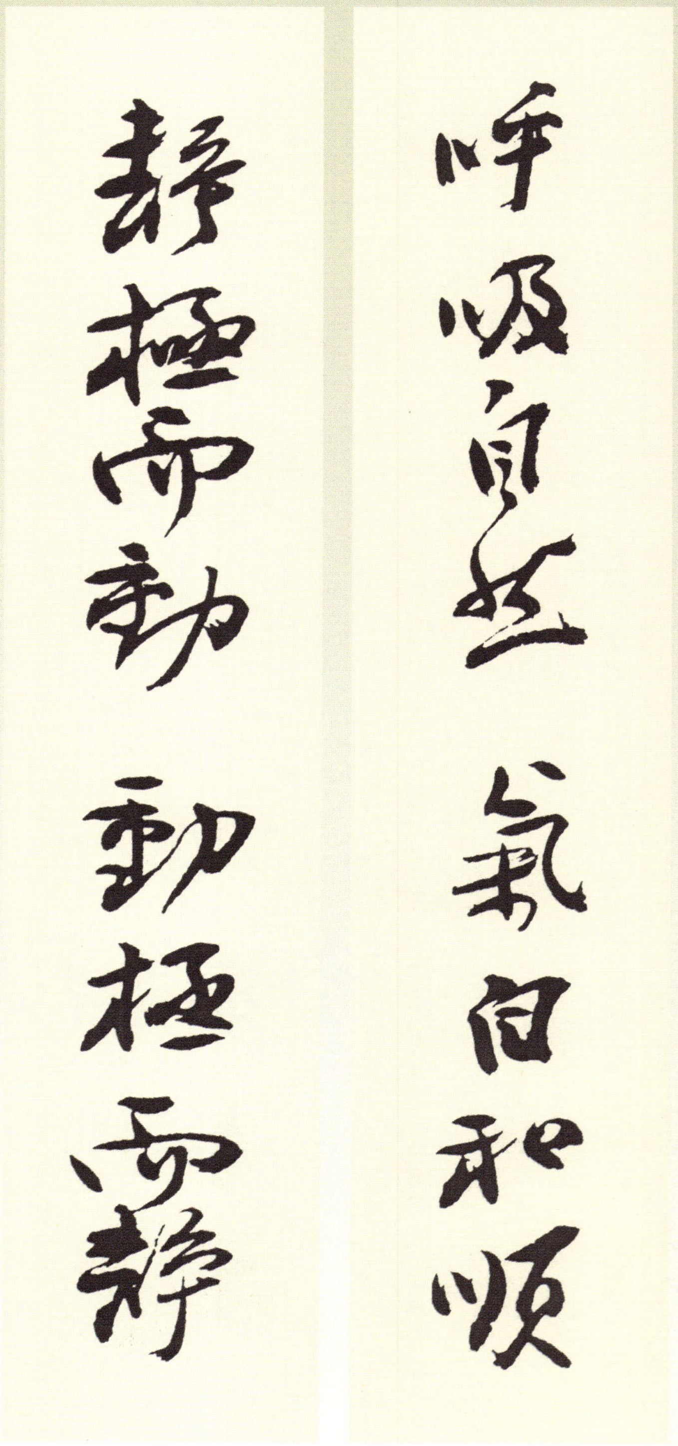

呼吸自然　气自和顺　静极而动　动极而静

出版人语

武术作为中华民族文化的重要载体，集合了传统文化中哲学、天文、地理、兵法、中医、经络、心理等学科精髓，它对人与自然和谐共生关系的独到阐释，它的技击方法和养生理念，在中华浩如烟海的文化典籍中独放异彩。

随着学术界对中华武学的日益重视，北京科学技术出版社应国内外研究者对武学典籍的迫切需求，于 2015 年决策组建了“人文·武术图书事业部”，而该部成立伊始的主要任务之一，就是编纂出版“武学名家典籍”系列丛书。

入选本套丛书的作者，基本界定为民国以降的武术技击家、武术理论家及武术活动家，而之所以会有这个界定，是因为民国时期的武术，在中国武术的发展史上占据着重要的位置。在这个时期，中、西文化日渐交流与融合，传统武术从形式到内容，从理论到实践，都发生了巨大的变化，这种变化，深刻干预了近现代中国武术的走向。

这一时期，在各自领域“独成一家”的许多武术人，之所以被称为“名人”，是因为他们的武学思想及实践，对当时及现世武术的影响深远，甚至成为近一百年来武学研究者辨识方向的坐标。这些人的“名”，名在有武术的真才实学，名在对后世武术传承永不磨灭的贡献。他们的各种武学著作堪称为“名著”，是中华传统武学文化极其珍贵的经典史料，具有很高的文物价值、史料价值和学术价值。

首批推出的“武学名家典籍”丛书第一辑，将以当世最有影响力的太极拳为主要内容，收入了著名杨式太极拳家杨澄甫先生的《太极拳使用法》《太极拳体用全书》；一代武学大家孙禄堂先生的《形意拳学》《太极拳学》《八卦拳学》《拳意述真》《八卦剑学》；武学教育家陈微明先生的《太极拳答问》《太极拳术》《太极剑术》。民国时期的太极拳著作，在整个太极拳发展史上占有举足轻重的地位。当时的太极拳著作，正处在从传统的手抄本形式向现代著作出版形式完成过渡的时期；同时也是传统太极拳向现代太极拳过渡的关键时期。这一历史时期的太极拳著作，不仅忠实地记载了太极拳架的衍变和最终定型，而且还构建了较为完备的太极拳技术和理论体系，而孙禄堂先生的武学著作及体现的武学理念，特别是他首先提出的“拳与道合”思想，更是使中国武学产生了质的升华。

这些名著及其作者，在当时那个年代已具有广泛的影响力，而时隔近百年之后，它们对于现阶段的拳学研究依然具有指导作用，依然被太极拳研究者、爱好者奉为宗师，奉为经典。对其多方位、多层面地系统研究，是我们今天深入认识传统武学价值，更好地继承、发展、弘扬民族文化的一项重要内容。

本丛书由国内外著名专家或原书作者的后人以规范的要求对原文进行点校、注释和导读，梳理过程中尊重大师原作，力求经得起广大读者的推敲和时间的考验，再现经典。

“武学名家典籍”丛书，将是一个展现名家、研究名家的平台，我们希望，随着本丛书第一辑、第二辑、第三辑……的陆续出版，中国近现代武术的整体风貌，会逐渐展现在每一位读者的面前；我们更希望，每一位读者，把您心仪的武术家推荐给我们，把您知道的武学典籍介绍给我们，把您研读诠释这些武术家及其武学典籍的心得体会告诉我们。我们相信，“武学名家典籍”丛书这个平台，在广大武学爱好者、研究者和我们这些出版人的共同努力下，会越办越好。

前言

先祖父禄堂公 1933 年 12 月殁于故里，至今已 82 年；先父存周公 1963 年逝于北京，至今亦 52 了。而不管过多少年，先祖父和父辈留下的事业及由此带来的责任，却始终沉甸甸地压在我的心头。

先祖父孙禄堂，孙氏武学的创建者，喜文近武，得多位武术大师倾心传授，加以天赋资质，刻苦勤奋，数十年如一日，矢志不渝，精修形意、八卦、太极三派拳术，经半个多世纪的研习、探索、提炼，终臻化境。时人公论，集三派拳术于一身且精通技理者，独孙禄堂一人耳。故先贤宋世荣曾赠言："学于后，空于前。后来居上，独续先宗绝学。"

先祖父品德高尚，武功造极，学识渊博，又深谙国学，感悟武术与"周易"关联，遂参《易》修拳，首提关乎武学未来走向的"拳与道合"之理，并冶三拳技理于一炉，创立了"三拳形虽不同，其理则一"的孙氏太极拳，在中国太极拳发展历史上，立起了一座划时代的丰碑。

先祖父武学著作颇丰，代表作《形意拳学》《八卦拳学》《太极拳学》《拳意述真》《八卦剑学》，技理俱佳，极具科学性、可读性以及实用价值。传播至今，仍被武学研究者奉为圭臬。

孙氏后人，时刻以先人的荣誉为荣，更以弘扬先人开创的一脉拳学为己任。20 世纪 90 年代初，由先姐孙叔容组织孙氏武学门人，首次对孙禄堂武学著作进行了整理及简注。

21 世纪初，再由先姐孙叔容，带领笔者及亡弟宝亨，编著出版了《孙禄堂武学著作大全增订本》。

先姐在这册《大全增订本》前言中申明了笔者姐弟之所以一而再、再而三整理注释先祖父遗著的初衷：

先祖"阐明武学之道，刊行于世，裨益后学者多矣。"然"孙氏武学著作中常引用儒、释、道三家之说，及阴阳、五行、八卦、运行之理，以阐发拳中之奥义，每有文言体裁，且引述《易经》及黄老之学，难为近人所接受，笔者等遂编写《孙禄堂武学著作大全简注》一书以应读者之需，出版以来备受读者喜爱。现初版书早已告罄，而索书者日众。今经笔者对《孙禄堂武学著作大全简注》一书进行补充校订，以修订本问世，以飨孙氏武学爱好者。"

先姐所言，道出了吾辈孙氏后人的心声，在此《孙禄堂武学著作大全简注》之后，笔者亦筹资先后自费出版印行了再现先祖父五本经典拳学原版原貌的《孙禄堂武学全集》和全面展示先祖父文有养，武有成，文武共舞共融风采的《孙禄堂文武集》。

先祖父所著五本经典拳学，影响深远，求索者众。先父孙存周昔年在世时，几度再版，仍不敷求。本人效仿先父，为酬孙氏武学之知音，不畏其难，自筹资金，自费印制《孙禄堂武学全集》，亦是孙家后人"成先人之志，不坠其业"的一点儿执守。

光阴荏苒，仅《孙禄堂武学著作大全增订本》的问世，转瞬已15年矣。包括以先姐为首的合作人，除笔者外，俱已驾鹤西去。然孙氏武学之研究，却始终没有停止，整理修订工作正未有穷期。

笔者虽届米寿之年，但责无旁贷，誓担此任，力足赴之，薪火相传，团结门人弟子、学生以及所有爱好者，为传承普及推广孙氏武学，继续进行公益教学、编著及有关的社会活动。恰逢此时，北京科学技术出版社紧跟国家前进步伐，为弘扬中国武术文化，以人为本，实现梦想，相约出版“武学名家典籍”丛书之《孙禄堂武学集注》，双方一谋即合，决心倾情共襄孙氏武学研究领域的这一盛举。

由笔者担任校注的《孙禄堂武学集注》，集孙禄堂武学著作竖排原版原文、横排简体版、孙禄堂部分历史图照及书法作品为一体，重点对孙禄堂原著进行点校正误，并在旧作《孙禄堂武学著作大全增订本》的基础上，增加修正部分解注。旨在更有利于习者阅读，理论联系实际，提升武技水平。本版《孙禄堂武学集注》的影印部分，选用民国十六年（1927年）至民国廿四年（1935年）间出版的孙禄堂原著，原书版次可见于各册影印部分结尾的版权页，供读者核查。

本书完稿，即将付梓，虽严加校正，亦恐难臻至善不留讹舛，敬请方家正之。

孙婉容

乙未秋月书于北京颐清园

八卦劍學

陸軍步兵少校六等文虎章孫禄堂

序

古無所謂劍術也自猿公教少女以刺擊而劍術始見於記載其他如宜僚之弄丸魏博之取合似與劍術有關然不傳其術無從加以評論予幼好技擊苦無師承清季覔食春明見有所謂三才純陽六合太極青龍諸劍名心好之而終以爲未至也後獲親炙祿堂夫子始得見所謂八卦劍者竊以爲歎觀止矣蓋此劍脫胎於八卦拳術左旋爲陽右旋爲陰於開合變化之中見參互錯綜之妙靜則太極動則爻變究其神之所至卽在不動時已含有靜極而動之妙用非所謂陰陽合撰者耶祿堂師近復以所著八卦劍術見示雖僅有八綱學者如神而明之則六十四卦之交錯無不寓於八綱劍之中猶之八卦實原於乾之一畫是在學者體會已耳自媿一知半解未能闡發祿師之意爰就所知著粗述之附驥名彰抑亦鯫生之幸已

民國十四年十二月歲次乙丑東臺吳心穀拜序

自序

八卦劍術傳者佚其姓名自董海川太夫子來京始展轉相傳而八卦劍之名遂著予親炙程廷華夫子之門廷華師固受業董太夫子者也竊本得之廷華師者因有此編之作請得而申其義焉按八卦始於太極由是而生兩儀生四象生八卦其本體則一太極也吾人各有一太極之體故此劍之左旋右旋陰陽相生實具太極之妙用一動一靜不離爻變極其變化神奇之功終不外參互錯綜之理故其外圓內方也亦即圓以象天方以象地之義也伏羲之卦先天也文王之卦後天也蓋先天者其體後天者其用劍之本體太極先天也劍之縱横離合後天也惟其有先天之用故寂然不動惟其有後天之功故變幻莫測分而爲八錯成六十有四而實具於太極之中所謂散則萬殊合則一本也自其用言之曰八卦劍自其體言之實即太極劍也學者明吾身在太極之

中循吾書而求之自然領會復次第作圖以明之以示涂徑舉一反三是在善悟者至於神而明之則又存乎其人已

民國十有四年十二月歲次乙丑直隸完縣孫福全自序

八卦劍學

目錄

緒言

一是編名爲八卦劍學其道實出於八卦拳中習者應以八卦拳爲主以八卦劍爲輔不獨此劍爲然各派劍術亦莫不以拳術爲其基礎諺云精拳術者未必皆通劍法善劍法者未有不精拳術誠知言也

一是編發明此劍之性能純以扶養正氣爲宗內中奇異名目不過因形式而定一切引證均與道理相合而諸法巧妙亦寓於是

一是編劍法不務外觀但求眞道以期動作運用旋轉如意

一是編劍術與易經先天八卦後天六十四卦三百八十四爻以至於變化無窮之理莫不相同

一是編劍術之作僅擧八綱八綱者乾坤坎離震艮巽兌八卦也亦即八正劍也至於變劍無窮要不出乎八綱之外而八綱又係乾坤二卦之所生書內

節目數十雖卽八綱之條理次序實卽衍此乾坤二卦也

一是編劍術練時步法不外數學圓內求八邊之理勾股弦之式其手法亦不外八線中弧弦切矢之道立法如是學者亦毋拘拘語其究竟求我全體無處不成一〇而已

一是編練法雖係走轉圓圈而方圓銳鈍曲直各式卽含於其中練至純熟而後則縱橫斜纏上下內外聯絡一氣從心所欲無入而不自得無往而非其道矣

一是編標舉八卦劍生化之道提綱絜領條目井然由納卦說起至變劍要言終是爲全編條目自虛無式起至太極式終爲八卦劍基礎內中起止進退伸縮變化一一詳載練時一動一靜按照定法不使錯亂則此劍神化妙用之功庶幾有得矣

一是編與他種劍術不同名爲走劍又名轉劍或一劍一步或一劍三四步動作步法即是行走旋轉譬之丈徑之圈執劍不動身體環繞或一周而返或三五周而返功純者或數十周而返他種劍術或剛或柔或方或直或縱或橫或成三角等形式其步法劍法要不外乎一劍一步或一劍二步一劍三四步或劍動步不動數者與此旋轉者不同至其應用則亦有異

一是編劍術初學須按式中步法規矩若練之純熟步法或多或少無須拘定至於劍中節次亦爲便於初學不得不加分析習而久之始終只是一貫也

一是編每式各附一圖庶使八卦劍之原理及其性質藉以切實表現用達八卦劍之精神及其巧妙因知各劍各式實係互相聯絡合爲一體絡非散式也

一是編附圖均用照像網目版俾使學者得以模仿形式實力作去久之精妙

自見奇效必彰世有同志者願將此道極力擴充傳流後世不令淹沒庶不負古人發明此道之苦心著者有厚望焉

第一章　左右手納卦訣

劍之動作運用與左右手之訣法不外乎陰陽八卦之理裏裹外翻扭轉之道亦卽陽極生陰陰極生陽之道也右手執劍手虎口朝上或向前謂之中陰中陽。自中陰中陽往裏裹裹至手心側着謂之少陽自少陽往裏裹裹至手心向上，謂之太陽自太陽再往裏裹裹至極處謂之老陽又自中陰中陽往外扭扭至手背斜側着謂之少陰自少陰扭至手背向上謂之太陰自太陰再往外扭扭至極處謂之老陰　再手中陰中陽，胳膊往下垂着劍尖向前指着或劍尖朝上皆謂之中陰中陽　劍從下邊中陰中陽着往身後邊去、劍尖向外着謂之老陰右手在下邊中陰中陽着，劍尖向前手不改式拉至後邊劍尖仍向前此式仍謂之中陰中陽手中陰中陽着自上邊從前邊往後邊去在前邊劍尖向上、謂中陰中陽劍尖向後並手向後邊去謂之老陽手在上邊劍尖向後邊手亦在後邊，手老陽着手不改式往前邊來劍尖仍指後着此式仍謂之中陰中陽此右手執劍之訣竅也　左手之訣竅中二指與大指伸着無名指與小指屈着但非舞劍一定不易之訣亦有五指俱伸之時然亦因式而為蓋左手五指之伸屈藉以助右手運劍之用不必格外用力至其陰陽老少扭轉之式與右手相同惟左手在頭上太陰着手腕極力塌住謂之老陰左手在右胳膊下邊太陰着靠在右脇處手腕極力塌住亦謂之老陰此左手之訣竅也以上左右手之訣竅學者要詳細辯之

第二章　練劍要法八字

走轉裏翻穿撩提按為練劍要法八字走者行走步法也轉者左右旋轉也裏者手腕往裏裹勁也翻者手腕向外翻扭也穿者左右前後上下穿去也撩者或陰手或陽手望着前後撩去或半弧或圓形因式而出之也提者劍把往上

提也接者手心裏邊向下接也

第三章　八卦劍左右旋轉與往左右穿劍穿手之分別

起點轉法無論何式自北往東走旋之不已謂之左旋自北往西走轉之不已謂之右轉凡穿劍穿手往左右穿者無論在何方若往左胳膊或左足處穿劍穿手或邁足者謂左穿左邁往右胳膊或右足處或穿或邁者謂之右穿右邁此左右旋轉與左右穿劍穿手邁足之分別也

第四章　無極劍學

劍學之無極者當人執劍身體未動之時也此時心中空空洞洞混混沌沌一氣渾然此理是一字生這〇一字者先天之至道這〇者無極之形式是先天一字之所生人生在世未嘗學技動作自然是道之所行是一字也及手執劍正立身體未動是一字生這〇也譬諸靜坐功夫未坐之時呼吸動作是先天

道之自然之所行如同一字也甫坐之時兩腿盤趺兩目平視雖未垂簾觀玄兩手打扣而心中空空洞洞無思無想一氣渾然如同○也及心神定住再扣手垂簾塞兌觀玄又如同這◉矣所以劍學與丹道初無差別分之則二合而爲一是即劍學無極之理天地之始也丹書云道生虛無返回練虛合道是此意也學者細參之 此理大中秘竅言之

無極圖

無極劍學圖解

起點面正身子直立不可俯仰兩手下垂直兩足爲九十度之形式右手執劍手爲中陰中陽之訣式劍尖與劍把橫平直左手五指伸直手心靠着腿兩手兩足不可有一毫之動作心中空空洞洞意念思想一無所有兩目望平直線看去亦不可移轉將神氣定住此式自動而靜由一而生這〇即爲無極形式內中一切情形與八卦拳學無異此道執械則爲劍無械即是拳所以八卦拳學於各種器械莫不包含學者可與八卦拳並參之

第五章　太極劍學

太極者劍之形式也無極而生乾坤之母左轉之而爲乾像右旋之而爲坤形劍之旋轉是內中一氣之流行也此理是一字而生這〇自這〇而又生⦶也這⦶當中之一豎是由靜極而生動在人謂之眞意在丹道謂之先天眞陽一

氣爲慧劍在形意拳中謂之先天無形之橫拳在八卦劍中謂之太極此式初動內雖有乾坤之理外未具乾坤之象所以謂之太極劍也譬諸坐功由神氣定住再垂簾塞兌回光觀玄之時此時劍之初動是萬物之母是以此劍不必格外再用內功之氣劍之動作規矩法則無不是內家拳術之道與丹道學之理丹書云慧劍可以消身內之魔寶劍可以辟世上之邪

太極圖

太極劍學圖解

起點先將腰場勁頭往上頂住勁兩肩往下垂着勁舌頂上腭口似張非張似胳非胳鼻孔出氣呼吸要自然不可着意兩足亦往上蹬勁諸處之勁皆是自然用意不要用拙力再將左手大拇指與二指中指伸直無名指與小指用力屈回稍節與中節根節直着與中指相併五指屈伸用力要均勻左手之式並非與他劍捏訣相同取其五指屈伸左手不必格外用力此式能助右手之劍屈伸往來變化之力亦並非一定不易之規矩有時亦可五指俱伸因劍之形式而定學者不可膠執再將右足往裏扭直與左足成爲四十五度之式兩手自中陰中陽皆與右足往裏扭時亦同時往外扭扭至兩手皆至太陰式停住兩胳膊仍靠着身子再將兩腿徐徐曲下兩腿裏曲不可有死灣子如圖是也右手之劍亦與兩腿下曲時同時胳膊靠着右脇劍尖往着左足尖前平着伸

去與左足尖前邊成一交會線手仍是太陰劍把劍尖與心口平左手亦於劍動時手太陰着同時胳膊靠着左脇往右胳膊肘後下邊穿去手背挨着右胳膊左胳膊靠着心口兩眼望着劍尖看去將神氣定住頭頂兩肩下垂有往回縮之意皆是自然不可用拙力方可得着中和之氣而注於丹田也

第六章 乾卦劍學

乾卦劍者是從太極劍這①而生後天有形這〇因此式有圓之象有左旋之義故名之爲乾卦劍

第一節 乾卦蟄龍翻身

第一節

盤龍翻身

起點先以兩手上下分開右手之劍往外扭至老陰扭時帶往上抬抬至手背到頭額處停住劍尖仍與心口相平此劍之理有動根不動稍之式是此意也左手亦於右手扭時同時往外扭至老陰扭時胳膊靠着身子帶往下伸伸至小腹處停住中食二指指地腰再往下坐兩腿再往下曲頭虛靈頂住兩肩亦往下垂住左腳後根欠起前腳掌着地周身重心歸於右腿兩眼仍視劍尖如

圖是也以上自兩手分時壹至於左足根台起重心歸於右足動作俱是同時要歸成一氣所行皆是用意動作要自然不可拘滯學者要心思會悟身體力行內中之理方可有得也

第二節　乾卦天邊掃月

第二節

天邊掃月

將兩手左右分開右手之劍仍老陰着往上起過頭胳膊往上伸直又往右邊掃去如一上半月形式至右邊胳膊伸直手往右邊掃時掃至手太陰着手與右肩平停住劍尖略比劍把仰高點左手老陰着與右手劍往上又往右邊掃時亦同時胳膊靠着身子往左邊摟去摟至手太陰與左膝相齊上下相離四五寸許勿拘左足亦於左手往左邊摟時同時極力順着左手邁去足落下地時足尖往裏扣着點停住頭虛靈頂住兩肩鬆開腰塌勁兩腿裏根均往裏縮勁項鬆塌縮皆是用意不可用力右邊小腹放在右邊大腿上兩眼看劍之中節所動之形式如圖是也學者思悟明曉而後行之

第三節　乾卦掃地搜根

第三節

掃地搜根

隨即將右手之劍手太陰轉少陰胳膊往下落直着往左邊掃去劍離地高矮隨便右手自太陰轉至太陽停住肘靠着右脇前邊手比肘較低下點劍在右足尖右邊斜直着劍尖與右胳膊肘成一斜三角形式右足與劍動掃時同時邁至左足尖處與左足成爲倒八字形式兩足尖相離一二寸許勿拘左手亦於右手劍動時同時直着往上台起自太陰轉老陰老陰又轉至太陰與頭平

大指與左額角處相離二三寸許勿拘停住胳膊爲半月形式兩眼看劍尖腰塌兩腿裏根縮力頭頂肩垂仍如前惟是右手劍太陰着往左邊掃時兩肩要鬆開腹內亦要鬆空停住之形式如圖是也此式學者要深悟之

第四節　乾卦白猿托桃

第四節　白猿托桃

隨後再將右手之劍手太陽着胳膊往前往右轉連伸帶轉伸去如C形式手

自太陽往裏裹裹至老陽劍刃上下着手與口平劍尖與右肘成一斜三角形式劍把對左肘（成一斜三角）胳膊如半月形式腰隨着劍轉時亦同時向着右胯扭轉右腿裏根極力往回縮亦隨着腰往右胯扭轉內中之意思裏腿根要圓不要稜角意如⊂之形式兩眼看劍尖左手於劍動時亦同時手太陰着從頭往外翻又往上伸去伸至極處手翻至老陰手虎口亦對着劍尖左胳膊上節相離左耳一二寸許勿拘停住再右足與劍動轉時亦同時斜着往前邁去落地之形式與左足成一斜長方形式身形之高矮隨便勿拘兩足相離之遠近總以再邁後足時不移動形式與內中之重心爲至善處此節之形式觀圖自明將形式定住再往左旋走去旋轉圓圈數目之多寡與地之寬狹不拘乾卦劍之目次分成四節形式雖停而意未停練時總要一氣貫串不獨此卦爲然至於他卦以至變卦劍亦如是也學者要知之

第七章　坤卦劍學

坤卦劍者是從乾卦劍這個有形之〇物極必返陽極而生陰成爲這●乾卦劍是自老陰旋轉而至老陽故爲這〇坤卦劍是自老陽旋轉而至老陰故爲這●所以此式與乾卦劍有左右旋轉之形式彼左陽旋取乾之名此右陰轉定名坤卦

第一節　坤卦日月爭明

第一節
日月爭明

起點從白猿托桃旋轉時右足在前微停即將左足往右足尖邁去與右足成一倒八字形式右手劍自老陽往外翻往下落如掃下半弧線翻至右邊手至太陰停住劍把與劍尖相平直手與右足尖上下相齊手高矮與心口平劍往下掃時離地高矮勿拘右足與右手劍動時同時邁至右邊落地之形式與左足成一大斜長方形式兩足相離之遠近以右胳膊伸直手與右足尖上下成一直線爲度再左手自頭上老陰着與右手劍翻動時順着左邊身子往下落自老陰往裏裏連裏帶落手至太陰手虎口與左脇平相離二三寸許勿拘胳膊半月形式停住兩眼看劍香口前三四寸許勿拘兩腿裏曲仍是半月形式兩腿裏根鬆開勁小腹如放在右腿根上之意兩肩亦鬆開勁腰仍塌住頭虛靈頂住停住之形式如圖是也

第二節　坤卦流星赶月

第二節

流星赶月

再將右手劍太陰着往右邊提轉轉至右手高與鼻平手仍太陰着劍尖與腿根平胳膊略微灣曲點左手太陰着與右手劍動轉時同時往裏裏靠着左脇往右胳膊裏根連穿帶裏穿去至右胳膊裏根手太陽着停住左足與左手亦同時往前邁去至右足尖處與右足成一倒八字形式兩腿灣曲着右手劍提轉時是身子並腰與右腿根同時往右轉不惟劍轉也兩眼看右手停住之形

式如圖是也頭頂肩垂腹鬆臍開腿根縮勁塌腰皆如前

第三節　坤卦青龍返首

第三節
青龍返首

再即將右手劍太陰着往外翻又往左邊如掃橫弧線又極力往前穿去手至老陰手高與頭平手背離頭二三寸許勿拘停住劍尖與左膀相平左手太陽着與右手劍同時翻至老陰手腕塌住往前伸直胳膊仍靠着身子左足與右

手劍穿時亦同時往外邁去(足左邊爲外)落地與右足成一斜長方形式與子形式高矮勿拘兩眼看劍尖轉動時是腰與左腿根同時往左邊扭轉停住之形式如圖是也內外一切之動仍如前微停再往右旋轉走去旋轉一周或二周或數周勿拘圈之大小亦勿拘轉法與乾卦白猿托桃法相同彼是手老陽着此是手老陰着彼是往左旋轉此是往右旋轉旋轉之數雖多寡不拘但此劍之效力惟在左右變換旋轉總期旋轉之數多多益善此節與本卦第一節雖分三節亦是一氣串成形雖停而意未停學者要知之

第八章　坎卦劍學

坎卦者水之象也劍之形式如流水順勢之意故名爲坎卦劍也內中有掃托之式又有換式截抹之法於此劍中用之變換最巧者也

第一節　坎卦天邊掃月

第一節 天邊掃月

見乾卦第二節圖

從坤卦青龍返首式將左足在前邊隨即再將右足邁至前邊落地與左足成一倒八字形式隨後將右手劍老陰着胳膊直着往右邊掃去如掃上半月形式至右邊胳膊直着手往裏裏掃時掃至手太陰手與右肩平停住劍尖略比劍把仰高點左手老陰着與右手劍往裏裏掃時同時胳膊靠着身子從右胳往下又往左邊摟去摟至手太陰與左膝相齊上下相離四五寸許勿拘左足

與左手往左邊摟時亦同時極力順着左手邁去足落地足尖往裏扣着點兩眼看劍之中節停住之形式一切之勁性與乾卦二節式相同

第二節　坎卦仙人背劍

第二節
仙人背劍

即將右手劍太陰着往裏裏掃又往上提裏至右手老陽與頭平右手相離頭左邊四五寸許勿拘劍刃與右肩尖上下相齊兩眼回頭看劍尖裏邊五六寸

許勿拘右足與右手劍裏時同時往左足尖處邁去落地與左足成一倒八字形式左手太陰着與右手劍動時亦同時回到腹處大指根靠着臍處手腕塌住勁兩腿灣曲着身子高矮勿拘停住之形式如圖是也塌腰頂頭縮腿根之勁仍如前

第三節　坎卦仙人換影

第三節
仙人換影

即將右手劍老陽着從右邊往上抬起過頭再往裏裏掃如掃一上半小弧線裏至頭左邊手至太陰再往下落落在左胳膊下節中間上邊右手相離左胳膊肘前邊二三寸許勿拘手由太陰至中陰中陽又由中陰中陽翻至少陰停住身子並腰如螺絲意與劍裹落時同時往左邊扭轉劍尖高與眼平又劍尖與左膀尖並左肩尖相對兩眼看劍尖裏邊三四寸許勿拘左手太陰着與右手劍動時同時從臍處胳膊靠着身子往右脇處極力伸去手背挨着右肘後邊停住左足與右手劍裹落時亦同時往左邊直着邁去落地與右足成一斜長方形式兩足相離遠近勿拘蓋身式高矮既不拘定故兩足距離亦因而勿拘初學之形式高矮如圖可也停住一切之勁並精神貫注氣歸丹田之理仍如前

第九章　離卦劍學

離卦者屬火也空中之象也於此離卦劍式之中有脫換搜抹虛空靈妙之法故取名爲離卦劍也

第一節　離卦日月爭明

第一節
日月爭明

起點從白猿托桃式右足在前微停即將左足往右足尖處邁去與右足成一倒八字形式右手劍自老陽往外翻着往下落如掃一下半弧線翻至右邊手

至太陰停住劍把與劍尖相平直手與右足尖上下相齊手之高矮與心口平劍往下掃時右足同時邁至右邊落地之形式與左足成一大斜長方式兩足相離之遠近右胳膊伸直手與右足尖上下成一直線爲度再左手自頭上老陰着與右手劍動翻時順着左邊身子往下落自老陰往裏裹連裹帶落手至太陰手虎口與左脇平相離二三寸許勿拘胯膊半月形式停住兩眼看劍吞口前三四寸許勿拘一切之形式與坤卦劍第一節式均相同

第二節　離卦白猿偸桃

第二節 白猿偷桃

再將右手劍太陰着胳膊直着往外翻扭又往上起翻扭至手老陰與頭平手背離頭三四寸許勿拘劍尖與左膀成一平直線左手太陰着與右手劍往外翻扭時同時往裏裹靠着左脇往右胳膊下節中間極力穿去至手太陽與心口平左足與左手穿時亦同時邁至右足尖處與右足成一倒八字形式兩眼看劍尖裏邊四五寸許勿拘兩腿灣曲着停住之形式如圖是也一切之勁仍

照前

第三節　離卦仙人脫殼

第三節
仙人脫殼

再將右手劍老陰着從頭前往上起又往外翻扭到極處手至太陽又從頭上往右邊落膊直着如返掃弧線往右胯前邊落下去手至少陽落膊仍直着手與右腿裏根平手離腿根遠近手與右足尖在一圓弧線上為度劍尖與右肩

尖成一平線兩眼再看劍尖裏邊六七寸許勿拘翻身之時眼看着劍過來再腿根與腰亦同時向右扭轉再左手太陽着與右手劍往上起時同時往外翻扭又往上起至頭上胳膊伸至極處手轉至老陰手虎口對着右手左胳膊之形式與白猿托桃左胳膊形式相同右足與兩手動時亦同時往右邊邁去落地與左足成一斜長方形式兩足相離之遠近勿拘形式高矮亦勿拘初學時遠近高矮照圖形式可也內中一切之情形與八卦拳學大蟒翻身意思相同形式雖分三節內中之神氣務要一貫學者要知之

第十章　震卦劍學

震卦者動之象也在卦則爲雷在五行則屬木有青龍之象在劍學則有直穿斜穿上下左右穿刺之形式因有穿刺之法則故取名爲震卦劍木形之理也

第一節　震卦白蛇伏草

第一節

白蛇伏草

起點從坤卦青龍返首式右手劍老陰着左足在前隨即將右足邁在左足尖處兩足成一倒八字形式再將右手劍從老陰往裏裹又往下落裏至手中陰中陽胳膊半月形式手離右腿根四五寸許勿拘劍與右腿根相平劍離身之遠近一二寸許勿拘左手從右脇老陰着與右手劍往裏裹時同時轉太陽鼻着身子往下伸直又往左邊摟去摟至胳膊伸至極處手至老陰手與劍尖相

平成一直線左足與左手往左邊摟時亦同時往左邊邁去落地兩足相離之遠近左足尖與左手稍上下相齊爲度兩腿灣曲下腰塌住勁身子往前俯着點俯至左邊小腹放在左大腿根上之意兩眼看左手中二指稍停住之形式如圖是也

第二節　震卦潛龍出水

第二節

潛龍出水

起點即將左足抬起不可高極力往外扭落地足尖向外右手劍中陰中陽着往前直着穿去穿至極處再按把劍尖隨着往上抬起起至劍尖與把上下相直劍尖微往外坡着點胳膊直着右手之高矮與左手相平右足與右手劍穿時同時往前邁去足尖往裏扣着落地與左足尖成一倒八字形式此式兩足尖相離略遠點大約五六寸許勿拘再左手老陰着與右手劍動穿時亦同時往心口下邊來從老陰裏至太陰大指根陷坑靠住身子心口下邊兩眼於劍往前穿時看劍尖俟劍尖台起停住時看劍半腰中上下勿拘腰塌住勁兩腿灣曲着停住之形式如圖是也

第三節　震卦青龍探海

第三節 青龍探海

即將右手劍中陰中陽着往外翻扭又往上起望着右眉處而來至眉處手轉成老陰劍尖從上邊往左邊來從眉前斜着往前又往下極力探去去手仍是老陰着手與心口相平劍尖與左足成一平線再左手太陰着與右手劍動時同時往裏裹裹至手太陽候右手至眉處往前探時亦同時手太陽着胳膊挨着身子從心口處往上穿去手至頭正額處往外翻扭扭至老陰胳膊過頭伸

至極處停住左足與劍探時並左手往上穿時亦同時往上提起脚面冀着足心在右膝上邊挨住腰塲住勁兩腿裏根縮住勁身子微往前俯着點兩眼看劍尖停住之形式如圖是也此式亦是一二三節合成一氣練之譬如坤卦初變震次兌次乾雖然形式變化有三內中實是一氣貫串八卦劍形式變化亦然無論何卦劍之形式外邊雖分節次內中亦皆是一以貫之也學者要細悟之

第十一章　艮卦劍學

艮卦者山之象也艮其背不獲其身行其庭不見其人此劍有止而不進之意又有退藏之形故取名爲艮卦劍昔人云縮身藏於劍之下有見劍不見人之意是此義也

第一節　艮卦黑虎出洞

第一節

黑虎出洞

起點從坤卦劍末節返首劍手老陰着左足在前隨即將右足邁在左足尖處與左足成一倒八字形式微停即將右手劍從老陰往裏裹又往下落裹至手中陰中陽胳膊半月形式手離右腿根四五寸許勿拘劍與右腿根相平劍離身之遠近一二寸許勿拘左手從右脇老陰着與右手劍往裏裹時同時轉太陰靠着身子往下伸直又往左邊摟去摟至胳膊伸至極處手至老陰手與劍

尖相平成一直線兩眼隨着看左手中二指稍左足與左手往左邊擄時往左邊邁去落地兩足相離之遠近左足尖與左手稍上下相齊爲度此時與白蛇伏草式相同往下則不同矣式不停隨即將右手中陰中陽着極力平着往前刺去劍之高矮劍尖劍把與心口平兩眼俟劍刺出看劍尖左手從老陰着與右手劍刺時同時轉太陰又與劍刺至極處時亦同時五指伸開扣在右手腕上前左膝極力往前攻右腿極力蹬直左邊小腹放在左邊大腿根上腰塌住勁頭頂兩肩往回縮住勁身子微往前俯着點停住之形式如圖是也

第二節　艮卦白蛇吐信

第二節 白蛇吐信

即將右手劍中陰中陽着往下按劍把劍尖往上起一條弧線着往右邊來從左邊至右邊成一半月形式右胳膊曲回時靠至右脇右手轉為老陽右手離胸前一二寸許勿拘劍尖與劍把平直再左手太陰着與右手按劍把時同時往裏裏裏至太陽再從右手腕裏邊胳膊靠着身子往外扭又往下穿去至左腿根手轉成太陰左足與右手劍往右邊歪時亦同時扭足根足尖往裏扣此

時之形式似停而未停右手劍仍老陽着往前刺去胳膊伸至極處手之高矮與上胸平兩眼看劍尖左手太陰着與劍往前刺時亦同時往左邊摟去胳膊伸至極處手轉成老陰手高矮與左脇下窩平兩腿灣曲着停住之形式如圖是也

第三節　艮卦青龍截路

第三節
青龍截路

即將右手劍老陽着往外翻扭扭至太陰胳膊直着手與右足尖前上下相齊右手高矮與胸前平劍尖與左肩成一平線亦勿拘兩眼看劍當中勿拘右足與右手劍往外翻扭時同時足尖往外擺落地與兩足八字形相似左手老陰着與右手劍翻時亦同時往裏裹胳膊曲回手裏至太陽靠住左脇兩腿曲下兩腿根縮住腹內要鬆空停住之形式如圖是也

第四節　艮卦白猿偸桃

第四節

白猿偸桃

再將右手劍太陰着胳膊直着往外翻扭又往上起翻扭至手老陰手與頭平手背離頭三四寸許勿拘劍尖與左膀成一平直線左手太陽着從左脇與右手劍往外翻扭時同時靠着身子往右胳膊下節中間極力穿去穿至極處手仍太陽着手與心口平左足與左手穿時亦同時邁至右足尖處與右足成一倒八字形式兩眼看劍尖裏邊四五寸許勿拘兩腿灣曲着停住之形式如圖是也

第五節　艮卦仙人入洞

第五節 仙人入洞

再將右手劍老陰着從頭前往上起又往外翻扭到極處手至太陽又從頭上往右邊胳膊直着如返掃弧線往右邊落下去胳膊伸至極處手至少陽與小腹平手離小腹尺許勿拘身子與右手劍掃時同時往右邊扭轉兩眼看劍當中上下勿拘劍尖與右足尖相平直勿拘劍尖又與右肩成一斜直線右足與右手劍往下落時同時極力提起起至足心挨着左膝上邊脚面覆着左手太

陽着與右手劍往上起時同時往外翻扭又往上起至頭上胳膊伸至極處手轉至老陰手大指根對着右手左胳膊之形式與白猿托桃左胳膊動作相同左腿灣曲着兩腿裏根往裏縮勁腰塌住勁身子微往前俯着點停住之形式如圖是也

第六節　艮卦日月爭明

第六節
日月爭明

卽將右足往右邊邁去落地足尖直着微往裏扣着點與左足成一大斜長方形式右手劍自少陽着與右足邁時同時往外翻扭胳膊直着往下邊如掃下弧線翻至右邊手至太陰停住劍把與劍尖相平直手右足尖上下相齊手高矮與心口平劍往下掃時離地高矮勿拘再左手自頭上老陰着與右手劍動翻時順着左邊身子往下落自老陰往裏裏連裏帶往下落手至太陰手虎口與左脇平相離二三寸許勿拘胳膊半月形式手腕往後撑着勁停住兩眼看劍呑口前三四寸許勿拘一切之形式勁性與坤卦第一節形式相同

第七節　艮卦流星趕月

第七節

流星趕月

再將右手劍太陰着往右邊提轉轉至右手高與鼻平手仍太陰着劍尖與腿根平胳膊略微灣曲點左手太陰着與右手劍動轉時同時往裏裏靠着左胳往右胳膊裏根連穿帶裏穿去至右胳膊裏根手太陽着停住左足與左手亦同時往前邁去至右足尖處與右足成一倒八字形式兩腿灣曲着右手劍操

轉時是身子並腰與右腿根同時往右轉不只劍轉也兩眼看右手停住之形式與各處之勁與坤卦第二節相同

第十二章　巽卦劍學

巽卦者風之象也在天爲風在人爲氣在卦爲巽巽卦劍有順旋逆返之式迴風混合之理有散有收因有風之理故名爲巽卦劍也

第一節　巽卦葉裡藏花

第一節

葉裏藏花

起點白猿托桃式右足在前即將左足邁在右足尖處與右足成一倒八字形式停住再將右手劍老陽着往外翻扭扭至手太陰右足與右手劍往外翻扭時同時往右邊邁去落地足尖往外擺着身子與劍往外翻時同時往右邊扭轉右手靠着左脇劍平直着劍之所指與左足根上下成一直線左手於右手劍往外翻扭時亦同時老陰着往裡裹又往下落裹至手太陽胳膊直着高與心口平兩腿曲下兩腿裏根縮住勁腹內鬆空着兩眼順着右肘往前平着看去停住之形式如圖是也

第二節　巽卦葉裏藏花

第二節
葉裏藏花

右手劍與左手不動即將左足邁至右足尖處與右足成一倒八字形式兩腿曲着塌腰縮腿裏根一切之勁仍如前兩眼仍順着右肘往平看去停住之形式如圖是也

第三節　巽卦葉裏藏花

第三節

葉裡藏花

再將右足往右邊擺着邁去落地直着足尖微往裏扣着點兩足之形式仍與斜長方形式相似勿拘隨即右手劍太陰往右邊橫平着掃去身子與劍往右邊掃時同時往右邊扭轉劍掃至與左足根上下爲一平線手仍太陰着兩眼看着劍尖左手太陽着與右手劍往右邊掃時同時與右手左右分開胳膊伸至極處手仍太陽着與右手左右相平腹內鬆空神氣定住兩腿曲着停住之形

式如圖是也

旋轉之形式自一節起左足扣右足往外擺至二三節兩足之形式皆是從着圓圈外邊○擺扣不往圈裏邊去學者要知之

第四節　巽卦猛虎截路

第四節

猛虎截路

兩足不動即將右手劍太陰着往裏裹又往上起起至與頭平手裏至老陽右

手離頭五六寸許勿拘劍在兩腿中間劍尖與後腰平勿拘左手太陽與右手劍往裏裹時同時往外翻扭往臍處來胳膊靠着身子兩眼看劍當中勿拘此式似停而未停即將頭與身子扭轉左邊來右手劍老陽着胳膊伸直與身扭轉時同時往裡裹從頭上如掃弧線掃至左邊來手裹至老陰手高與頭平右手離頭五六寸許勿拘劍尖仍與後腰平直勿拘兩眼看劍尖或劍尖裏邊勿拘左手太陰着胳膊靠着身子與右手劍往左邊裹時亦同時往右脇伸去伸至老陰大指根靠着右脇兩腿灣曲着腹內鬆空氣沈丹田停住之形式如圖是也再走右手劍往外扭轉仍老陰復於青龍返首之式往左旋走去走時先邁左足

第十三章　兌卦劍學

兌卦者澤之象也有金之義焉此式劍中有剮撩之法又有劈搡之形有搜捉

之理皆剛屬之義故名爲兌卦劍也

第一節 兌卦劃膀

第一節 劃膀

起點乾卦白猿托桃式右足在前即將左足邁至右足尖處與右足成一倒八字形式右手劍老陽着與右足邁時同時往左膀尖外邊劃去胳膊伸直往下落去胳膊靠着身子右手劍中陰中陽着手挨着左腿裏根劍尖與左肩平勿

拘兩眼看劍尖或劍尖裏邊勿拘左手老陰着從頭上與右手劍動時同時往裏裏又往下落落至臍處手至中陰中陽不停即速肘靠着左脇手心挨着身子與右手劍劃時同時往上穿去穿至中二指與頭齊手太陽着（手心對面即是太陽）兩腿曲下腰塌住勁兩腿裏根往回縮住停住之形式如圖是也

第二節　兌卦回馬劍

第二節　回馬劍

即將右手劍中陰中陽着胳膊直着從左腿根處如走弧線往右邊又往上提去提至右手與胸平手至老陰劍尖往前斜指着劍尖高與膝平勿拘此式有撩劍之意兩眼看劍尖處左手太陽着從頭前與右手劍往右邊提時同時順着身子往下落落至臍處手心挨着身子右足與兩手動時亦同時往前邁去落地足尖微往外扭着點步之大小不可有意務要腿往前邁時與平常行路一樣自然不可勉强停住之形式如圖是也

第三節　兌卦回頭望月

第三節

回頭望月

即將右手劍老陰着直着胳膊往上提起起至頭上手仍是老陰自頭上不停再往右邊身後劈去胳膊伸至極處手中陰中陽着劍尖往外仆着點手高與胸平兩眼看劍中間勿拘劍往後邊劈時劍尖走一條上弧線自前邊往後邊劈過身子與劍往後劈時同時往右邊扭轉左手中陰中陽着從臍處與右手劍往上提時同時往前又往下斜着伸去伸至極處手與腿根平此時右手到

頭上右手劍在往後邊劈時左手亦同時再往上起起至高與右手前後相平手至太陰停住再左足與右手劍往上提時同時邁至前邊落地足尖直着微往外擺着點再右足與右手劍從頭上往後邊劈時亦同時邁至前邊落地足尖往外擺着兩腿微灣曲着點邁左右足時均要自然意與行路無別停住之形式如圖是也

第四節　兌卦仙人釣魚

第四節
仙人釣魚

隨即將右手劍中陰中陽胳膊直着如畫弧線往下落落至離右胯六七寸許勿拘劍刃亦直着往下落落至劍尖與劍把相平劍尖往下低點亦勿拘左手太陰胳膊直着亦如畫弧線與右手劍往下落時同時往上起起至手過頭仍是太陰與右手上下前後成一斜直線左足於兩手動時亦同時往前邁去落地足尖極力往外擺着形式不可停再將右手劍中陰中陽着從右胯後邊如畫下弧線往前邊撩去撩至手老陽手高與胸平劍尖與右脇平兩眼望着右手前邊看去再左手太陰着與右手劍往前邊動作撩時同時往外扭扭至老陰如畫上弧線往左邊來又往下落落至與右手相平胳膊直着手又轉至太陰右足與兩手動時亦同時邁至前邊落地足尖極力往裏扣着與左足成倒八字形式此倒八字形式兩足尖要相離四五寸許勿拘再將右手劍老陽着胳膊直着如畫上弧線從右邊往左邊斫去胳膊伸至極處手中陰中陽着右

手高與心口下臍上相平亦勿拘身子與右手劍往左邊斫時同時向左扭轉兩眼看劍尖處再左手太陰着往裏裹與右手劍動時同時到小腹處手心挨着身子又從小腹處與劍往下斫時同時順着身子往上去胳膞伸至極處手扭成老陰再左足右手劍往左斫時亦同時極力抬起脚面攏着足心挨右膝上邊兩腿裡根往裏縮住勁頭項勁身子微往前俯着點右腿略有曲之意思停住之形式如圖是也此四節雖有停住形式亦要一氣貫串學者要細參之

第十四章　八卦劍應用要法十字

挑　托　抹　掛　剮　搜　閉　掃　順　截

挑者手老陰着如青龍返首式往前去挑住敵人之手腕或胳膞皆可謂之挑

托者手老陽着如白猿托桃式往前去托住敵人之手腕或胳膞俱是謂之托

挑時多在敵人劍裡托時多在敵人劍外

抹者將敵人之手腕或胳膊用劍挑住或托住後身形與劍或左或右走去是謂之抹

掛者敵人之劍已及己腕或斫己身右邊時用劍迎在敵劍上邊曲回胳膊縮回身體與劍一氣往回帶敵之劍隨帶隨出看勢擊敵是之謂掛

剔者敵人用手托住左臂或劍將及左臂時即將左胳膊往右胳膊下邊伸去用劍往左肩前邊斫去是謂之剔

搜者敵人之劍或斫我上或斫我下我之劍意在敵先望敵手腕或左或右似削物然速去速回倏忽若電是之謂搜

閉者敵人之劍將出而未出之時即速用劍堵住敵手不令出劍此之謂閉

掃者上下掃也敵腕被我用劍挑住彼欲變法我速用劍纏繞彼腕令彼欲變不得是謂上掃敵劍斫我裡腕或外腕時即速縮身下式或左或右用劍望着

敵人之腿如掃地一般斫去謂之下掃

順者敵劍望我擊來我順彼勢隨之引出或敵劍將要抽回我順彼勢隨之送入皆謂之順用此字時不可强硬進退均以意爲之

截者敵劍擊來我速用劍撲住敵腕或劍令彼不能得勢無分上中下三路均謂之截

上十字者即此劍應用之要法也雖云要法然用時亦必內而神意外而手足與劍合爲一體方可應用咸宜變化無窮

第十五章　八卦變劍要言

八卦劍之道有正劍有變劍正劍即體劍也亦即八綱劍也變劍者自八綱劍互相聯合錯綜變化而生無窮之形式也譬之易卦伏義八卦爲先天卦是體卦也文王六十四卦爲後天卦是變卦也至於周公三百八十四爻則又變中

之變也或曰是劍既有變化之道自應與正劍一體爲之圖爲之解以貽後學俾免失傳奈何是編僅舉八綱而不及其變乎曰是難言也鄙意亦何嘗不爾惟是此劍之理雖與易道變化相同然此劍形式之變化則與易道有異易卦形式之變乾變坤坤變乾泰變否否變泰或上變而下不變或下變而上不變或上下不變而內卦變內中之理無論如何變化外形固皆有迹象之可尋是劍之變化則不然也例如乾卦劍中白猿托桃一式身形不動是此式身形高矮不同仍是此式走轉一步是此式走轉無數步亦是此式故劍變身不變者有之身變劍不變者有之手與劍不變而足變者固謂之變身劍手足皆不變惟眼神所注上下左右有所移換則亦變也其變化之至微妙者外形完全不變而內中之意變亦不得不謂之變也一身之變化與天地生物不測之意正同則其式寧可數計若爲圖解既非若卦畫之簡易易明則仍難免罣一漏萬

之諦是以提綱振領僅舉正劍之形不及變劍之式然學者即身體驗時習力行求其正即以達其變見仁見智識大識小亦各存乎其人久久精純道理自得充於中形於外從心所欲罔或踰矩靜則存動變則變而至於化化而通於神正劍云乎哉變劍云乎哉

孫祿堂先生著

形意拳學　一冊

八卦拳學　一冊

太極拳學　一冊

八卦劍學　一冊

拳意述眞　一冊

民國十六年十一月初版

八卦劍學每册
定價大洋六角

版權所有

著述者 蒲陽孫福全
校閱者 陳愼先 吳心穀
印刷者 北京楊梅竹斜街西首 公記印書局 電話南局○四○
發行者 北京大理院後身 蒲陽孫寓 旗守衛二十號
代售處 北京廠房頭條 武學書局 北京琉璃廠 武學書館 北京各大書坊

八卦劍學

序

古无所谓剑术也，自猿公教少女以刺击，而剑术始见于记载。其他如宜僚之弄丸，魏博之取合，似与剑术有关，然不传其术，无从加以评论。予幼好技击，苦无师承，清季覔[①]食春明，见有所谓三才、纯阳、六合、太极、青龙诸剑名，心好之而终以为未至也。后获亲炙禄堂夫子，始得见所谓八卦剑者，窃以为叹观止矣。盖此剑脱胎于八卦拳术，左旋为阳，右旋为阴，于开合变化之中，见参互错综之妙。静则太极，动则爻变，究其神之所至，即在不动时已含有静极而动之妙用，非所谓阴阳合撰者耶？禄堂师近复以所著《八卦剑术》见示，虽仅有八纲，学者如神而明之，则六十四卦之交错，无不寓于八纲剑之中，犹之八卦实原于乾之一画，是在学者体会已耳。自媿[②]一知半解，未能阐发禄堂[③]师之意，爰就所知者粗述之，附骥名彰，抑亦鲰生之幸已。

民国十四年十二月岁次乙丑东台吴心穀拜序

注 释

①覔：音 mì，古同“觅”。

②媿：同“愧”。

③禄堂：此处“堂”字原本无，据前文补。

自序

八卦剑术，传者佚其姓名，[1] 自董海川太夫子来京，始展转[2]相传，而八卦剑之名遂著。予亲炙[3]程廷华夫子之门，廷华师固受业董太夫子者也。窃本得之廷华师者，因有此编之作，请得而申其义焉。按八卦始于太极，由是而生两仪、生四象、生八卦，其本体则一太极也。[4] 吾人各有一太极之体[5]，故此剑之左旋右旋阴阳相生，实具太极之妙用，[6] 一动一静不离爻变，极其变化神奇之功，终不外参互错综之理，[7] 故其外圆内方也，亦即圆以象天，方以象地之义也。[8] 伏羲之卦先天也，文王之卦后天也，[9] 盖先天者其体，后天者其用，剑之本体太极先天也，剑之纵横离合后天也。惟其有先天之用，故寂然不动，惟其有后天之功，故变幻莫测。[10] 分而为八，错成六十有四，而实具于太极之中，[11] 所谓散则万殊，合则一本也。[12] 自其用言之曰“八卦剑”，自其体言之，实即“太极剑”也。[13] 学者明吾身在太极之中，循吾书而求之，自然领会。[14] 复次第作图以明之，以示涂径[15]，举一反三，是在善悟者，至于神而明之，则又存乎其人已。[16]

民国十有四年十二月岁次乙丑直隶完县孙福全自序

注 释

① 八卦……姓名：是说八卦剑不知何人所传。佚：失去。

② 展转：同“辗转”。

③ 亲炙（音 zhì）：犹言亲近。炙，原指火上烤肉。亲炙是说直接得到某人的教诲或传授。

④ 按八卦……一太极也：谓八卦剑从太极练起。《周易·系辞》曰：“易有太极，是生两仪，两仪生四象，四象生八卦。”太极，浑圆空虚，“始卒若环”（老子语）。两仪指天地，天地即阴阳。四象指太阴、太阳、少阴、少阳。八卦指乾、坤、坎、离、震、艮、巽、兑。八卦掌、剑的本体乃是“太极”。

⑤ 吾人各有一太极之体：谓人体各自有一太极，人的意念可使自己浑然空虚，无知无识，即是八卦剑的起点。

⑥ 故此……妙用：谓舞起这八卦剑来，左旋为阳，右旋为阴，有左必有右，有阴必有阳，阴阳相生相成，实具太极的妙用。

⑦ 一动一静……错综之理：谓八卦剑每一动一静，做每一姿势，都不能离开卦之爻和爻变。若推究爻变神奇之功至于极点，终不外阴阳参互交错之理。

⑧ 故其……之义也：谓练起八卦剑来，其形象之所以外圆内方，也就是以圆象天、以方象地之义。

⑨ 伏羲……后天也：谓伏羲之卦，指单卦，为先天八卦；文王之卦，指重卦，为后天八卦。传说《周易》成于四圣（即伏羲、文王、周公、孔子）。文王以后皆重卦，亦即后天八卦。

⑩ 盖先天者……故变幻莫测：谓此八卦剑之本体始于太极，是先天；此剑之纵横开合，是后天，惟其有先天之本体，故知当时寂然不动；惟其有后天纵横开合之功用，才能变化莫测。

⑪ 分而……太极之中：谓分而言之，初为八卦，八卦交错配合，则为八八六十四卦，合而言之，其实皆具于一个太极浑圆图象之中。

⑫ 所谓……一本也：即所谓分散之则为万殊（即各不一样），合起来则为一体。

⑬ 自其用言之……“太极剑”也：谓从自其功用而言，则曰八卦剑，自其本体言，实为太极剑。

⑭ 学者……领会：谓学习八卦剑的人，若能明白我们每人之身都在太极之中，从太极开始，循此书的顺序，潜心研究，自然能够领会。

⑮ 涂径：道路，路径，亦作“涂迳”。“涂”同“途”。

⑯ 举一反三……其人已：谓学者有能举一反三者，就在于其人勤奋精专，善于领悟；至于还有神而明之的，那就看其本人了。

八卦剑学目录

绪 言

○ 是编名为《八卦剑学》，其道实出于八卦拳中，习者应以八卦拳为主，以八卦剑为辅。不独此剑为然，各派剑术亦莫不以拳术为其基础。谚云："精拳术者未必皆通剑法，善剑法者未有不精拳术"，诚知言也。

○ 是编发明此剑之性能，纯以扶养正气为宗，内中奇异名目不过因形式而定，一切引证均与道理相合，而诸法巧妙亦寓于是。

○ 是编剑法不务外观，但求真道，以期动作运用旋转如意。

○ 是编剑术与《易经》先天八卦、后天六十四卦、三百八十四爻，以至于变化无穷之理莫不相同。

○ 是编剑术之作仅举八纲。八纲者，乾、坤、坎、离、震、艮、巽、兑八卦也，亦即八正剑也。至于变剑无穷，要不出乎八纲之外，而八纲又系乾坤二卦之所生，书内节目数十，虽即八纲之条理次序，实即衍此乾坤二卦也。

○ 是编剑术练时，步法不外数学圆内求八边之理，勾股弦之式，其手法亦不外八线中弧弦切矢之道。立法如是，学者亦毋拘拘，语其究竟，求我全体无处不成一○而已。

○ 是编练法虽系走转圆圈，而方圆、锐钝、曲直各式即含于其中。练至纯熟，而后则纵横斜缠，上下内外联络一气，从心所欲，无入而不自得，无往而非其道矣。

○ 是编标举八卦剑生化之道，提纲絜领，条目井然，由纳卦说起，至变剑要言终，是为全编条目。自虚无式起至太极式终，为八卦剑基础。内中起止进退伸缩变化，一一详载，练时一动一静，按照定法不使错乱，则此剑神化妙用之功，庶几有得矣。

○ 是编与他种剑术不同，名为走剑，又名转剑，或一剑一步，或一剑三四步，动作步法即是行走旋转。譬之丈径之圈，执剑不动，身体环绕，或一周而返，或三五周而返，功纯者或数十周而返。他种剑术或刚或柔，或方或直，或纵或横，或成三角等形式，其步法剑法，要不外乎一剑一步，或一剑二步、一剑三四步，或剑动步不动，数者与此旋转者不同，至其应用则亦有异。

○ 是编剑术，初学须按式中步法规矩，若练之纯熟，步法或多或少无须拘定，至于剑中节次，亦为便于初学，不得不加分析，习而久之，始终只是一贯也。

○ 是编每式各附一图，庶使八卦剑之原理及其性质藉以切实表现，用达八卦剑之精神及其巧妙，因知各剑各式实系互相联络合为一体，终非散式也。

○ 是编附图均用照像网目版，俾使学者得以模仿形式，实力作去，久之精妙自见，奇效必彰。世有同志者，愿将此道极力扩充传流后世，不令湮没[1]，庶不负古人发明此道之苦心，著者有厚望焉。

注 释

① 湮没：原文“淹没”误，改为“湮没”。

第一章　左右手纳卦诀[①]

剑之动作运用与左右手之诀法，不外乎阴阳八卦[②]之理，里裹外翻扭转之道，亦即阳极生阴、阴极生阳之道也。[③]右手执剑，手虎口朝上或向前，谓之中阴中阳；自中阴中阳往里裹，裹至手心侧着，谓之少阳；自少阳往里裹，裹至手心向上，谓之太阳；自太阳再往里裹，裹至极处谓之老阳。又自中阴中阳往外扭，扭至手背斜侧着，谓之少阴；自少阴扭至手背向上，谓之太阴；自太阴再往外扭，扭至极处谓之老阴。[④]再手中阴中阳，胳膊往下垂着，剑尖向前指着，或剑尖朝上，皆谓之中阴中阳；剑从下边中阴中阳着，往身后边去，剑尖向外着，谓之老阴；右手在下边中阴中阳着，剑尖向前，手不改式，拉至后边，剑尖仍向前，此式仍谓之中阴中阳；手中阴中阳着，自上边从前边往后边去，在前边剑尖向上，谓中阴中阳；剑尖向后并手向后边去，谓之老阳；手在上边，剑尖向后边，手亦在后边，手老阳着，手不改式往前边来，剑尖仍指后着，此式仍谓之中阴中阳，此右手执剑之诀窍也。左手之诀窍，中二指与大指伸着，无名指与小指屈着，但非舞剑一定不易之诀，亦有五指俱伸之时，然亦因式而为。盖左手五指之伸屈，藉以助右手运剑之用，不必格外用力，至其阴阳老少扭转之式，与右手相同，惟左手在头上太阴着，手腕极力塌住，谓之老阴；左手在右胳膊下边太阴着，靠在右胁处，手腕极力塌住，亦谓之老阴，此左手之诀窍也。以上左右手之诀窍学者要详细辨之。

注 释

① 纳：谓进入。卦：指阴阳八卦。诀：方法。

② 阴阳八卦：乾、坎、艮、震、巽、离、坤、兑谓之八卦。乾、震、坎、艮为阳，坤、巽、离、兑为阴。

③ 里裹外翻……生阳之道也：里裹外翻扭转之道，是指持剑在右手虎口向前，拇指向手背转为里裹，里裹之极为阳之极。拇指向手心转为外翻，外翻之极为阴之极。阴极生阳，阳极生阴，即物极必反的意思。

④ 右手执剑……谓之老阴：谓手虎口朝上或向前，谓之中阴中阳。自此中阴中阳往里裹为阳，分少阳、太阳、老阳三个部位。反之，往外扭也分三个部位，即少阴、太阴、老阴三个部位。

第二章　练剑要法八字

走、转、裹、翻、穿、撩、提、按，为练剑要法八字。走者，行走步法也；转者，左右旋转也；裹者，手腕往里裹劲也；翻者，手腕向外翻扭也；穿者，左右前后上下穿去也；撩者，或阴手或阳手，望着前后撩去，或半弧或圜[①]形，因式而出之也；提者，剑把往上提也；按者，手心里边向下按也。

注释

① 圜：音 yuán，同“圆”。

第三章　八卦剑左右旋转与往左右穿剑穿手之分别

起点转法无论何式，自北往东走，旋之不已，谓之左旋。自北往西走，转之不已，谓之右转。凡穿剑穿手，往左右穿者，无论在何方，若往左胳膊或左足处穿剑、穿手或迈足者，谓左穿左迈；往右胳膊或右足处或穿或迈者，谓之右穿右迈。此左右旋转与左右穿剑、穿手、迈足之分别也。

第四章　无极剑学

剑学之无极者，当人执剑身体未动之时也，此时心中空空洞洞，混混沌沌，一气浑然，此理是一字生这○。[①]一字者，先天之至道，这○者，无极之形式，是先天一字之所生。人生在世，未尝学技，动作自然，是道之所行，是一字也。[②]及手执剑正立，身体未动，是一字生这○也。[③]譬诸静坐功夫，未坐之时，呼吸动作，是先天道之自然之所行，如同一字也。甫坐之时，两腿盘趺[④]，两目平视，虽未垂帘观玄[⑤]、两手打扣[⑥]，而心中空空洞洞，无思无想，一气浑然，如同○也。及心神定住，再扣手垂帘塞兑[⑦]观玄，又如同这◉[⑧]矣。所以剑学与丹道[⑨]，初无差别，分之则二，合而为一，是即剑学无极之理，天地之始也。丹书云：道生虚无，返回炼虚合道，[⑩]是此意也。学者细参之此理《大中秘窍》言之。

注　释

① 此时……一字生这○：是说在练八卦剑之初，持剑在手，要求排除一切杂念，使心中虚无空洞、混沌、浑然一气。此时排除一切杂念，即

"一"字，心中虚无，即这"○"。

② 人生在世……是一字也：是说未学技艺之前，人的动作自然是由道的指使，这道就是"一"字。

③ 及手……这○也：是说持剑将练未练之时，排除万念，使心中一空，这就是"一"字生这"○"。

④ 两腿盘趺：僧人盘腿而坐的姿势。趺：音 fū，与跗同，跗，足背也。

⑤ 垂帘：即眼帘下垂，闭眼。 观玄：观察玄妙事物，不是真实见到，谓之"内视"。

⑥ 打扣：两手叠起。

⑦ 塞兑：闭塞住一切可以与外界通达的器官。兑，通达，器官指耳目口鼻等。

⑧ 这◉：比这○进了一步，这○是无极的表现，这◉，便进入太极。

⑨ 丹道：指道教。道教炼丹（内丹），实与道家有别。道家尚自然，道教祈长生。

⑩ 丹书云……返回炼虚合道：在道教的书中曾说，道生于虚无，道能反回虚无，即合于道。丹书即道教研究内丹之书。

无极剑学图解

起点面正，身子直立，不可俯仰；两手下垂直，两足为九十度之形式；右手执剑，手为中阴中阳之诀式，剑尖与剑把横平直；左手五指伸直，手心靠着腿，两手、两足不可有一毫之动作。心中空空洞洞，意念思想一无所有。两目望平直线看去，亦不可移转，将神气定住。此式自动而静，由一而生这○，即为无极形式，内中一切情形与八卦拳学无异，此道执械则为剑，无械即是拳，所以八卦拳学于各种器械莫不包含，学者可与八卦拳并参之（图 1）。

图 1　无 极

第五章　太极剑学

太极者，剑之形式也，无极而生，乾坤之母，[①] 左转之而为乾像，右旋之而为坤形，[②] 剑之旋转是内中一气之流行也，此理是一字而生这○，自这○而又生 ⦶ 也，这 ⦶ 当中之一竖，是由静极而生动，在人谓之真意，在丹道谓之先天真阳，[③] 一气为慧剑，在形意拳中谓之先天无形之横拳，在八卦剑中谓之太极。此式初动，内虽有乾坤之理，外未具乾坤之象，所以谓之太极剑也。譬诸坐功，由神气定住，再垂帘塞兑，回光观玄之时，[④] 此时剑之初动是万物之母，是以此剑不必格外再用内功之气。剑之动作规矩法则，无不是内家拳术之道与丹道学之理。丹书云：慧剑可以消身内之魔，宝剑可以避世上之邪。[⑤]

注　释

① 无极而生，乾坤之母：无极生太极，即太极生两仪，乾坤即阴阳，故说太极乃“无极而生，乾坤之母”。

② 左转……为坤形：象与形，意相同。乾象坤形就是说在转剑时表现

出的形象，乾有乾象，坤有坤形，阴阳有别，故表现形式不同，方向不同。

③ 剑之……先天真阳：剑在旋转时是一气流行，此一气是先天之气，由一而生〇，静极生动，由〇变成⦶，这一竖在人谓之真意，真意即先天一气，在道教谓之先天真阳，亦即先天一气。名称不同，实即为一。

④ 再垂帘塞兑，回光观玄之时：见前第四章注⑤及注⑦。

⑤ 慧剑……避世上之邪：慧剑即先天一气，一气流行在内，浑然自适，心内之病（魔）可消。宝剑则可斩尽外界之邪恶。是说八卦剑内外兼修。

太极剑学图解

起点，先将腰塌劲，头往上顶住劲，两肩往下垂着劲，舌顶上腭，口似张非张，似胎非胎[①]，鼻孔出气，呼吸要自然，不可着意。两足亦往上蹬劲，诸处之劲，皆是自然用意，不要用拙力。再将左手大拇指与二指、中指伸直，无名指与小指用力屈回，稍节与中节、根节，直着与中指相并，五指屈伸用力要均匀。左手之式，并非与他剑捏诀相同，取其五指屈伸。左手不必格外用力，此式能助右手之剑屈伸往来变化之力，亦并非一定不易之规矩，有时亦可五指俱伸，因剑之形式而定，学者不可胶执。再将右足往里扭直，与左足成为四十五度之式，两手自中阴中阳，皆与右足往里扭时亦同时往外扭，扭至两手皆至太阴式停住。两胳膊仍靠着身子，再将两腿徐徐曲下，两腿里曲不可有死弯[②]子，如图是也。右手之剑亦与两腿下曲时同时，胳膊靠着右胁，剑尖往着左足尖前平着伸去，与左足尖前边成一交会线，手仍是太阴，剑把剑尖与心口平。左手亦于剑动时手太阴着，同时胳膊靠着左胁，往右胳膊肘后下边穿去，手背挨着右胳膊，左胳膊靠着心口，两眼望着剑尖看去，将神气定住。头顶，两肩下垂有往回缩之意，皆是自然，不可用拙力，方可得着中和之气而注于丹田也（图2）。

图2　太极

注　释

①胳：音wěn，同“吻”。

②弯：此处原文“湾”误，据上下文义改作“弯”。后同，不另注。

第六章　乾卦剑学

乾卦剑者，是从太极剑这 ◐ 而生。后天有形，这○因此式有圆之象，有左旋之义，故名之为乾卦剑。[①]

注　释

① 乾卦剑者……故名之为乾卦剑：此是说乾卦剑是太极剑 ◐ 生出的，这已是后天的形象了，又因○是圆形，左旋为阳，所以定名为乾卦剑。

第一节　乾卦蛰龙翻身

起点，先以两手上下分开，右手之剑往外扭至老阴，扭时带往上抬，抬至手背到头额处停住，剑尖仍与心口相平。此剑之理有动根不动稍之式，是此意也。左手亦于右手扭时，同时往外扭至老阴，扭时胳膊靠着身子带往下伸，伸至小腹处停住。中、食二指指地，腰再往下坐，两腿再往下曲，头虚灵顶住，两肩亦往下垂[①]住，左脚后根[②]欠起，前脚掌着地，周身重心归于右腿，两眼仍视剑尖，如图是也

(图 3)。以上自两手分时，以[3]至于左足跟抬[4]起，重心归于右足，动作俱是同时，要归成一气，所行皆是用意，动作要自然，不可拘滞。学者要心思会悟，身体力行，内中之理方可有得也。

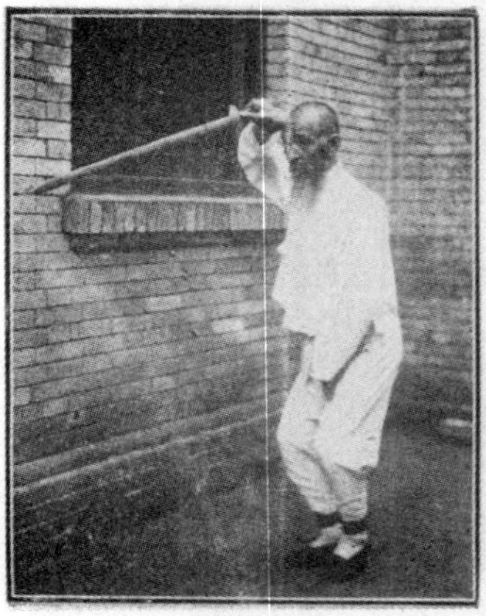

图 3　蛰龙翻身

注 释

① 垂：音 chúi，古同“垂”。

② 根：原文“前后根”的“根”字同“跟”。后同，不另注。

③ 以：原文“壹”误，改作“以”。

④ 抬：原文“台”误，改作“抬”。后同，不另注。

第二节　乾卦天边扫月

将两手左右分开，右手之剑仍老阴着往上起过头，胳膊往上伸直，又往右边扫去，如一上半月形式。至右边胳膊伸直。手往右边扫时，扫至手太阴着，手与右肩平停住，剑尖略比剑把仰高点。左手老阴着，与右手剑往上又往右边扫时亦同时，胳膊靠着身子往左边搂去，搂至手太阴与左膝相齐，上下相离四五寸许勿拘。左足亦于左手往左边搂时，

图 4　天边扫月

同时极力顺着左手迈去，足落下地时，足尖往里扣着点停住。头虚灵顶住，两肩松开，腰塌劲，两腿里根均往里缩劲，顶松塌缩皆是用意不可用力。右边小腹放在右边大腿上，两眼看剑之中节。所动之形式如图是也（图 4），学者思悟明晓而后行之。

第三节　乾卦扫地搜根

随即将右手之剑手太阴转少阴，胳膊往下落，直着往左边扫去，剑离地高矮随便。右手自太阴转至太阳停住，肘靠着右胁前边，手比肘较低下点，剑在右足尖右边斜直着，剑尖与右胳膊肘成一斜三角形式。右足于[①]剑动扫时，同时迈至左足尖处，与左足成为倒八字形式，两足尖相离一二寸许勿拘。左手亦于右手剑动时，同时直着往上抬起，自太阴转老阴，老阴又转至太阴与头平，大指与左额角处相离二三寸许勿拘，停住胳膊为半月形式，两眼看剑尖。腰塌，两腿里根缩力，头顶肩垂仍如前，惟是右手剑太阴着往左边扫时，两肩要松开，腹内亦要松空，停住之形式如图是也（图 5）。此式学者要深悟之。

图 5　扫地搜根

注释

① 于：原文在同一语境“与”“于”混用，现据文意，改作“于”。后同，不另注。

第四节　乾卦白猿托桃

随后再将右手之剑，手太阳着胳膊往前往右转，连伸带转伸去如C形式。手自太阳往里裹，裹至老阳剑刃上下着，手与口平，剑尖与右肘成一斜三角形式，剑把对左肘（成一斜三角），胳膊如半月形式。腰随着剑转时亦同时向着右胯扭转，右腿里根极力往回缩，亦随着腰往右胯扭转。内中之意思，里腿根要圆，不要棱角，意如C之形式，两眼看剑尖。左手于剑动时，亦同时手太阴着从头往外翻又往上伸去，伸至极处，手翻至老阴，手虎口亦对着剑尖，左胳膊上节相离左耳一二寸许勿拘停住。再右足于剑动转时，亦同时斜着往前迈去，落地之形式与左足成一斜长方形式，身形之高矮随便勿拘，两足相离之远近，总以再迈后足时不移动形式与内中之重心为至善处，此节之形式观图自明（图6）。将形式定住，再往左旋走去，旋转圆圈数目之多寡与地之宽狭不拘。乾卦剑之目次分成四节，形式虽停而意未停，练时总要一气贯串，不独此卦为然。至于他卦以至变卦剑亦如是也，学者要知之。

图6　白猿托桃图

第七章　坤卦剑学

坤卦剑者是从乾卦剑这个有形之○，物极必返[①]阳极而生阴成为这●，乾卦剑是自老阴旋转而至老阳，故为这○，坤卦剑是自老阳旋转而至老阴，故为这●，所以此式与乾卦剑有左右旋转之形式，彼左阳旋取乾之名，此右阴转定名坤卦[②]。

注 释

① 物极必返：宋·朱熹《近思录》引宋·程颐曰："如《复卦》言七日来复，其间无不断续，阳已复生，物极必返，其理需如此。"

② 坤卦：《周易·说卦》"坤，顺也。"《孔颖达疏》"坤，顺也，坤象也，地顺承于天，故为顺。"

第一节　坤卦日月争明

起点从白猿托桃旋转时，右足在前微停，即将左足往右足尖迈去，与右足成一倒八字形式。右手剑自老阳往外翻，往下落如扫下半弧线。翻至右边，手至太阴停住，剑把与剑尖相平直，手与右足尖上下相齐，手高矮与心口平，剑往下扫时离地高矮勿拘。右足于右手剑动时同时迈至右边，落地之形式与左足成一大斜长方形式，两足相离之远近以右胳膊伸直、手与右足尖上下成一直线为度。再左手自头上老阴着，于右手剑翻动时顺着左边身子往下落，自老阴往里裹，连裹带落，手至太阴，手虎口与左胁平，相离二三寸许勿拘。胳膊半月形式停住。两眼看剑吞口[①]前三四寸许勿拘。两腿里曲仍是半月形式，两腿里根松开劲，小腹如放在右腿根上之意，两肩亦松开劲，腰仍塌住，头虚灵顶住，停住之形式如图是也（图 7）。

图 7　日月争明

注 释

① 吞口：剑身与剑把连接处之护手谓之吞口。

第二节　坤卦流星赶月

再将右手剑太阴着往右边提转，转至右手高与鼻平，手仍太阴着，剑尖与腿根平，胳膊略微弯曲点。左手太阴着，于右手剑动转时同时往里裹，靠着左胁往右胳膊里根连穿带裹穿去，至右胳膊里根，手太阳着停住。左足与左手亦同时往前迈去，至右足尖处，与右足成一倒八字形式，两腿弯曲着。右手剑提转时，是身子并腰与右腿根同

图 8　流星赶月

时往右转，不惟剑转也。两眼看右手，停住之形式如图是也（图 8），头顶、肩垂、腹松、裆[1]开、腿根缩劲、塌腰皆如前。

注 释

① 裆：原文作“璫”，音 dāng，本义为“耳下垂”之谓，用于此处误，据上下文意改为“裆”。后同，不另注。

第三节　坤卦青龙返首

再即将右手剑太阴着往外翻，又往左边如扫横弧线，又极力往前穿去，手至老阴，手高与头平，手背离头二三寸许勿拘停住，剑尖与左胯相平。左手太阳着，与右手剑同时翻至老阴，手腕塌住往前伸直，胳膊仍靠着身子。左足于右手剑穿时亦同时往外迈去（足左边为外），落地与右足成一斜长方形式，身子形式高矮勿拘，两眼看剑尖。转动时，是腰与左腿根同时往左边扭转，停住之形式如图是也（图 9）。内外一切之动仍如前，微停，再往右旋转走去，旋转一周或二周或数周勿拘，圈之大小亦勿拘。转法与乾卦白猿托桃法相同，彼是手老阳着，

图 9　青龙返首

此是手老阴着；彼是往左旋转，此是往右旋转。旋转之数虽多寡不拘，但此剑之效力，惟在左右变换旋转，总期旋转之数多多益善。此节与本卦第一节虽分三节，亦是一气串成，形虽停而意未停，学者要知之。

第八章　坎卦剑学

坎卦者，水之象也[1]，剑之形式如流水顺势之意，故名为坎卦剑也，内中有扫托之式，又有换式截抹之法，于此剑中用之变换最巧者也。

注 释

① 坎卦者，水之象也：《周易·说卦》：坎，陷也。《孔颖达疏》“坎象水，水处险陷。”

第一节　坎卦天边扫月

从坤卦青龙返首式，将左足在前边，随即再将右足迈至前边，落地与左足成一倒八字形式。随后将右手剑老阴着，胳膊直着往右边扫去，如扫上半月形式，至右边胳膊直着，手往里裹扫时，扫至手太阴、手与右肩平停住，剑尖略比剑把仰高点。左手老阴着，与右手剑往里裹扫时同时，胳膊靠着身子从右胁往下又往左边搂去，搂至手太阴与左膝相齐，上下相离四五寸许勿拘。左足于左手往左边搂时，亦同时极力顺着左手迈去，足落地足尖往里扣着点。两眼看剑之中节，停住之形式、一切之劲性，与乾卦二节式相同（图 10）。

图 10　天边扫月

第二节　坎卦仙人背剑

即将右手剑太阴着往里裹扫，又往上提，裹至右手老阳与头平，右手相离头左边四五寸许勿拘。剑刃与右肩尖上下相齐，两眼回头看剑尖里边五六寸许勿拘。右足与右手剑裹时，同时往左足尖处迈去，落地与左足成一倒八字形式。左手太阴着于右手剑动时，亦同时回到腹处大指根靠着脐处，手腕塌住劲，两腿弯曲着，身子高矮勿拘，停住之形式如图是也（图 11），塌腰顶头缩腿根之劲仍如前。

图 11　仙人背剑

第三节　坎卦仙人换影

图 12　仙人换影

即将右手剑老阳着从右边往上抬起，过头再往里裹扫如扫一上半小弧线，裹至头左边手至太阴再往下落，落在左胳膊下节中间上边，右手相离左胳膊肘前边二三寸许勿拘，手由太阴至中阴中阳，又由中阴中阳翻至少阴停住。身子并腰如螺丝意，于剑裹落时同时往左边扭转，剑尖高与眼平，又剑尖与左胯尖并左肩尖相对，两眼看剑尖里边三四寸许勿拘。左手太阴着与右手剑动时，同时从脐处胳膊靠着身子往右胁处极力伸去，手背挨着右肘后边停住。左足于右手剑裹落时，亦同时往左边直着迈去，落地与右足成一斜长方形式，两足相离远近勿拘。盖身式高矮既不拘定，故两足距离亦因而勿拘，初学之形式高矮如图可也（图 12），停住一切之劲并精神贯注气归丹田之理，仍如前。

第九章　离卦剑学

离卦者，属火也[①]，空中之象也，于此离卦剑式之中，有脱换搜抹虚空灵妙之法，故取名为离卦剑也。[②]

注　释

① 离卦者，属火也：《周易·说卦》：离象火。离卦中虚，故说空中之象。

② 此式起点为白猿托桃，所以应在仙人换影式后边加上天边扫月、扫地搜根、白猿托桃三式，离卦剑便由白猿托桃式开始变为日月争明式，如此上下才能连贯，套路才较完整，阳极生阴，阴极生阳，左旋右转反复练习。

第一节　离卦日月争明

起点从白猿托桃式，右足在前微停，即将左足往右足尖处迈去，与右足成一倒八字形式。右手剑自老阳往外翻着往下落，如扫一下半弧线，翻至右边，手至太阴停住，剑把与剑尖相平直，手与右足尖上

图 13　日月争明

下相齐，手之高矮与心口平。剑往下扫时，右足同时迈至右边，落地之形式与左足成一大斜长方式，两足相离之远近，右胳膊伸直，手与右足尖上下成一直线为度。再左手自头上老阴着，于右手剑动翻时，顺着左边身子往下落，自老阴往里裹，连裹带落手至太阴，手虎口与左肋平，相离二三寸许勿拘，胳[1]膊半月形式停住，两眼看剑吞口前三四寸许勿拘。一切之形式与坤卦剑第一节式均相同（图 13）。

注　释

① 胳：原本误作“胯”，据文章改作“胳”。

第二节　离卦白猿偷桃

图 14　白猿偷桃

再将右手剑太阴着，胳膊直着往外翻扭又往上起，翻扭至手老阴与头平，手背离头三四寸许勿拘，剑尖与左胯成一平直线。左手太阴着，于右手剑往外翻扭时，同时往里裹，靠着左肋，往右胳膊下节中间极力穿去，至手太阳与心口平。左足于左手穿时亦同时迈至右足尖处，与右足成一倒八字形式。两眼看剑尖里边四五寸许勿拘，两腿弯曲着，停住之形式如图是也。一切之劲仍照前（图 14）。

第三节　离卦仙人脱壳

图 15　仙人脱壳

再将右手剑老阴着，从头前往上起，又往外翻扭到极处。手至太阳，又从头上往右边，胳膊直着如返扫弧线往右胯前边落下去，手至少阳，胳膊仍直着，手与右腿里根平，手离腿根远近，手与右足尖在一圆弧线上为度。剑尖与右肩尖成一平线，两眼再看剑尖里边六七寸许勿拘。翻身之时，眼看着剑过来。再腿根与腰亦同时向右扭转。再左手太阳着，于右手剑往上起时，同时往外翻扭又往上起至头上，胳膊伸至极处，手转至老阴，手虎口对着右手，左胳膊之形式与白猿托桃左胳膊形式相同。右足于两手动时亦同时往右边迈去，落地与左足成一斜长方形式，两足相离之远近勿拘，形式高矮亦勿拘，初学时远近高矮照图形式可也（图 15）。内中一切之情形与《八卦拳学》大蟒翻身意思相同。形式虽分三节，内中之神气务要一贯，学者要知之。

第十章　震卦剑学

震卦者，动之象也，[1] 在卦则为雷，在五行则属木，有青龙之象。在剑学则有直穿、斜穿、上下左右穿刺之形式，因有穿刺之法则，故取名为震卦剑，木形之理也。

注　释

①震卦者，动之象也：《周易·说卦》：震，动也。《孔颖达疏》："震象雷，雷奋动万物，故为动。震为龙，震动象龙动物。故有青龙之象。"按：震卦剑开始从坤卦青龙返首式，故由仙人换影式变成日月争明、流星赶月、青龙返首三式，震卦剑白蛇伏草式便可从青龙返首式开始。

第一节　震卦白蛇伏草

起点从坤卦青龙返首式，右手剑老阴着，左足在前，随即将右足迈在左足尖处，两足成一倒八字形式。再将右手剑从老阴往里裹又往下落，裹至手中阴中阳，胳膊半月形式，手离右腿根四五寸许勿拘，剑与右腿根相平，剑离身之远近一二寸许勿拘。左手从右胁老阴着，于右手剑往里裹时同时转太阳，靠着身子往下伸直，又往左边搂去，搂至胳膊伸至极处，手至老阴，手与剑尖相平成一直线。左足于左手往左边搂时，亦同时往左边迈去，落地两足相离之远近，左足尖与左手稍上下相齐为度，两腿弯曲，下腰塌住劲，身子往前俯着点，俯至左边小腹放在左大腿根上之意，两眼看左手中二指稍，停住之形式如图是也（图 16）。

图 16　白蛇伏草

第二节　震卦潜龙出水

起点即将左足抬起，不可高，极力往外扭，落地足尖向外。右手剑中阴中阳着，往前直着穿去，穿至极处再按把，剑尖随着往上抬起，起至剑尖与把上下相直，剑尖微往外坡着点，胳膊直着，右手之高矮与左手相平。右足于右手剑穿时，同时往前迈去，足尖往里扣着落地，与左足尖成一倒八字形式。此式两足尖相离略远点，大约五六寸许勿拘。再左手老阴着，于右手剑动穿时，亦同时往心口下边来，从老阴裹至太阳，大指根陷坑靠住身子心口下边。两眼于剑往前穿时看剑尖，

图 17　潜龙出水

俟剑尖抬起停住时看剑半腰中，上下勿拘。腰塌住劲，两腿弯曲着，停住之形式如图是也（图 17）。

第三节　震卦青龙探海

即将右手剑中阴中阳着往外翻扭，又往上起，望着右眉处而来，至眉处手转成老阴，剑尖从上边往左边来，从眉前斜着往前又往下极力探去，去手仍是老阴着，手与心口相平，剑尖与左足成一平线。再左手太阴着，于右手剑动时同时往里裹，裹至手太阳，俟右手至眉处往前探时，亦同时手太阳着，胳膊挨着身子从心口处往上穿去，手至头正额处往外翻扭，扭至老阴，胳膊过头伸至极处停住。左足于剑探时并左手往上穿时，亦同时往上提起，脚面顜[①]着，足心在右膝上边挨住。腰塌住劲，两腿里根缩住劲，身子微往前俯着点，两眼看剑尖，停住之形式如图是也（图 18）。此式亦是一二三节合成一气练之，譬如坤卦，初变震，次兑，次乾，[②]虽然形式变化有三，内中实是一气贯串，八卦剑形式变化亦然，无论何卦，剑之形式外边虽分节次，内中亦皆是一以贯之也，学者要细悟之。

图 18　青龙探海

注 释

① 䪼：音义待考，疑为“腆”字。后同，不另注。

② 坤卦，初变震，次兑，次乾：坤为阴、震为阳，意即阴极生阳，阳极生阴，阴又生阳。总之阴阳互变要一气贯串。

第十一章　艮卦剑学

艮卦者，山之象也，[1]艮其背，不获其身，行其庭，不见其人，此剑有止而不进之意，又有退藏之形，故取名为艮卦剑。昔人云："缩身藏于剑之下"，有见剑不见人之意，是此义也。

注释

① 艮卦者，山之象也：《周易·说卦》艮，止也。《孔颖达疏》："艮象山，山体静止，故与止也。""艮其背是止之在后，止而无所见，当然不获其身。不获其身则相背，相背者虽甚近亦不得见，故行其庭不见其人。"(艮其背以下见《艮卦·卦辞》)。按：此卦应自青龙探海式变为天边扫月式、扫地搜根式、白猿托桃式，再变成坤卦日月争明式、流星赶月式、青龙返首式，由此式接练艮卦黑虎出洞式。

第一节　艮卦黑虎出洞

起点从坤卦剑末节返首剑，手老阴着，左足在前，随即将右足迈在左足尖处，与左足成一倒八字形式。微停，即将右手剑从老阴往里裹，又往下落，裹至手中阴中阳、胳膊半月形式，手离右腿根四五寸许勿拘，剑与右腿根相平，剑离身之远近一二寸许勿拘。左手从右胁老阴着，于右手剑往里裹时同时转太阴，靠着身子往下伸直又往左边搂去，搂至胳膊伸至极处，手至老阴，手与剑尖相平成一直线。两眼随着看左手中二指稍。左足于左手往左边搂时往左边迈去，落地两足相离之远近，左足尖与左手稍上下相齐为度。此时与白蛇伏草式相同，往下则不同矣。式不停，随即将右手中阴中阳着极力平着往前刺去，剑之高矮剑尖剑把与心口平。两眼俟剑刺出看剑尖。左手从老阴着，于右手剑刺时同时转太阴，又于剑刺至极处时，亦同时五指伸开扣在右手腕上。前左膝极力往前攻，右腿极力蹬直，左边小腹放在左边大腿根上，腰塌住劲，头顶，两肩往回缩住劲，身子微往前俯着点，停住之形式如图是也（图 19）。

图 19　黑虎出洞

第二节　艮卦白蛇吐信

即将右手剑中阴中阳着往下按剑把，剑尖往上起，一条弧线着往右边来，从左边至右边成一半月形式。右胳膊曲回时靠至右胁，右手转为老阳，右手离胸前一二寸许勿拘，剑尖与剑把平直。再左手太阴着，于右手按剑把时同时往里裹，裹至太阳，再从右手腕里边，胳膊

图 20　白蛇吐信

靠着身子往外扭，又往下穿去，至左腿根手转成太阴。左足于右手剑往右边歪时，亦同时扭足根，足尖往里扣。此时之形式似停而未停，右手剑仍老阳着往前刺去，胳膊伸至极处，手之高矮与上胸平，两眼看剑尖。左手太阴着于剑往前刺时，亦同时往左边搂去，胳膊伸至极处，手转成老阴，手高矮与左胁下窝平，两腿弯曲着，停住之形式如图是也（图 20）。

第三节　艮卦青龙截路

即将右手剑老阳着往外翻扭，扭至太阴，胳膊直着，手与右足尖前上下相齐，右手高矮与胸前平，剑尖与左肩成一平线亦勿拘。两眼看剑当中勿拘。右足于右手剑往外翻扭时，同时足尖往外摆，落地与两足八字形相似。左手老阴着，于右手剑翻时亦同时往里裹，胳膊曲回，手裹至太阳，靠住左胁，两腿曲下，两腿根缩住，腹内要松空，停住之形式如图是也（图 21）。

图 21　青龙截路

第四节　艮卦白猿偷桃

再将右手剑太阴着，胳膊直着往外翻扭，又往上起，翻扭至手老阴，手与头平，手背离头三四寸许勿拘，剑尖与左胯成一平直线。左手太阳着，从左胁于右手剑往外翻扭时，同时靠着身子往右胳膊下节中间极力穿去，穿至极处，手仍太阳着，手与心口平。左足于左手穿时，亦同时迈至右足尖处，与右足成一倒八字形式，两眼看剑尖里边四五寸许勿拘，两腿弯曲着，停住之形式如图是也（图 22）。

图 22　白猿偷桃

第五节　艮卦仙人入洞

再将右手剑老阴着，从头前往上起又往外翻，扭到极处手至太阳，又从头上往右边，胳膊直着如返扫弧线往右边落下去，胳膊伸至极处，手至少阳与小腹平，手离小腹尺许勿拘。身子于右手剑扫时同时往右边扭转，两眼看剑当中，上下勿拘，剑尖与右足尖相平直勿拘，剑尖又与右肩成一斜直线。右足于右手

图 23　仙人入洞

剑往下落时同时极力提起，起至足心挨着左膝上边，脚面顛着。左手太阳着，于右手剑往上起时，同时往外翻扭，又往上起至头上，胳膊伸至极处，手转至老阴，手大指根对着右手。左胳膊之形式与白猿托桃左胳膊动作相同。左腿弯曲着，两腿里根往里缩劲，腰塌住劲，身子微往前俯着点，停住之形式如图是也（图 23）。

第六节　艮卦日月争明

图 24　日月争明

即将右足往右边迈去，落地足尖直着微往里扣着点，与左足成一大斜长方形式。右手剑自少阳着，于右足迈时同时往外翻扭，胳膊直着往下边如扫下弧线，翻至右边，手至太阴停住，剑把与剑尖相平直。手右足尖上下相齐，手高矮与心口平，剑往下扫时离地高矮勿拘。再左手自头上老阴着，于右手剑动翻时，顺着左边身子往下落，自老阴往里裹，连裹带往下落，手至太阴，手虎口与左胁平，相离二三寸许勿拘，胳膊半月形式，手腕往后撑着劲停住，两眼看剑吞口前三四寸许勿拘。一切之形式、劲性，与坤卦第一节形式相同（图 24）。

第七节　艮卦流星赶月

再将右手剑太阴着往右边提转，转至右手高与鼻平，手仍太阴着，剑尖与腿根平，胳膊略微弯曲点。左手太阴着，于右手剑动转时同时往里裹，靠着左胁往右胳膊里根连穿带裹穿去，至右胳膊里根，手太阳着停住。左足与左手亦同时往前迈去至右足尖处，与右足成一倒八字形式，两腿弯曲着。右手剑提转时，是身子并腰与右腿根同时往右转，不只剑转也。两眼看右手，停住之形式与各处之劲与坤卦第二节相同（图 25）。

图 25　流星赶月

第十二章　巽卦剑学

巽卦者，风之象也，[1]在天为风，在人为气，在卦为巽。巽卦剑有顺旋逆返之式，回风混合之理，有散有收。因有风之理，故名为巽卦剑也。

注 释

① 巽卦者，风之象也：《周易·说卦》：巽入也。《孔颖达疏》："巽象风，风行无所不入也。"按：巽卦剑叶里藏花式是由白猿托桃式开始，而上章艮卦最后为流星赶月式，必须再变青龙返首式，再变天边扫月、扫地搜根式，再变白猿托桃式，巽卦剑叶里藏花式才可开始。

第一节　巽卦叶里藏花

起点白猿托桃式，右足在前，即将左足迈在右足尖处，与右足成一倒八字形式停住。再将右手剑老阳着往外翻扭，扭至手太阴。右足于右手剑往外翻扭时，同时往右边迈去，落地足尖往外摆着。身子于剑往外翻时，同时往右边扭转，右手靠着左胁，剑平直着，剑之所指与左足根上下成一直线。左手于右手剑往外翻扭时，亦同时老阴着往里裹又往下落，裹至手太阳，胳膊直着高与心口平。两腿曲下，两腿里根缩住劲，腹内松空着，两眼顺着右肘往前平着看去，停住之形式如图是也（图 26）。

图 26　叶里藏花

第二节　巽卦叶里藏花

右手剑与左手不动，即将左足迈至右足尖处，与右足成一倒八字形式。两腿曲着，塌腰缩腿里根，一切之劲仍如前，两眼仍顺着右肘往平看去，停住之形式如图是也（图 27）。

图 27　叶里藏花

第三节　巽卦叶里藏花

再将右足往右边摆着迈去，落地直着，足尖微往里扣着点，两足之形式仍与斜长方形式相似勿拘。随即右手剑太阴往右边横平着扫去，身子于剑往右边扫时，同时往右边扭转，剑扫至与左足根上下为一平线，手仍太阴着，两眼看剑尖。左手太阳着于右手剑往右边扫

图 28　叶里藏花

时，同时与右手左右分开，胳膊伸至极处，手仍太阳着，与右手左右相平。腹内松空，神气定住，两腿曲着，停住之形式如图是也（图 28）。

旋转之形式，自一节起左足扣右足往外摆，至二三节，两足之形式皆是从着圆圈外边◯摆扣，不往圈里边去，学者要知之。

第四节　巽卦猛虎截路

两足不动，即将右手剑太阴着往里裹，又往上起，起至与头平，手裹至老阳，右手离头五六寸许勿拘。剑在两腿中间，剑尖与后腰平勿拘。左手太阳于右手剑往里裹时，同时往外翻扭往脐处来，胳膊靠着身子，两眼看剑当中勿拘，此式似停而未停，即将头与身子扭转左边来。右手剑老阳着，胳膊伸直，与身扭转时同时往里[1]裹，从头上如扫弧线，扫至左边来，手裹至老阴，手高与头平。右手离头五六寸许勿拘，剑尖仍与后腰平直勿拘，两眼看剑尖或剑尖里边勿拘。左手太阴着，胳膊靠着身子，于右手剑往左边裹时，亦同时往右胁伸去，伸至老阴，大指根靠着右胁，两腿弯曲着，腹内松空，

图 29　猛虎截路

气沈[2]丹田，停住之形式如图是也（图 29）。再走右手剑往外扭转，仍老阴复于青龙返首之式，往左旋走去，走时先迈左足。

注 释

① 里：原文此处为“裡裏”二字，据文意删去一字。

② 沈：音 chén，同“沉”。

第十三章　兑卦剑学

兑卦者，泽之象也，有金之义焉[1]，此式剑中有劓[2]撩之法，又有劈挆[3]之形，有搜捉之理，皆刚属之义，故名为兑卦剑也。

注 释

① 兑卦者，泽之象也，有金之义焉：《周易·说卦》：兑，说也。《孔颖达疏》："兑象泽，泽润万物，故为说也。"《兑卦·象》曰："兑说也，刚中而柔外"，即内刚而外柔，刚主断决，故曰有金之义。按：兑卦第一节起点于白猿托桃式，故应由巽卦最后青龙返首式变为天边扫月式，再变为扫地搜根式，再变为白猿托桃式，兑卦劓膀式即可开始。

② 劓：音 piān，削也。后同，不另注。

③ 挆：音 duò，古同"剁"。

第一节　兑卦劓膀

起点乾卦白猿托桃式，右足在前，即将左足迈至右足尖处，与右足成一倒八字形式。右手剑老阳着，于右足迈时同时往左膀尖外边劓去，胳膊伸直往下落去，胳膊靠着身子，右手剑中阴中阳着，手挨着左腿里根，剑尖与左肩平勿拘，两眼看剑尖或剑尖里边勿拘。左手老阴着，从头上于右手剑动时，同时往里裹又往下落，落至脐处，手至中阴中阳不停，即速肘靠着左肋，手心挨着身子，于右手剑刷时同时往上穿去，穿至中二指与头齐，手太阳着（手心对面[①]即是太阳），两腿曲下，腰塌住劲，两腿里根往回缩住，停住之形式如图是也（图 30）。

图 30　刷膀

注　释

① 手心对面：面就是脸，对面就是对着脸。

第二节　兑卦回马剑

即将右手剑中阴中阳着，胳膊直着从左腿根处如走弧线往右边又往上提去，提至右手与胸平，手至老阴，剑尖往前斜指着，剑尖高与膝平勿拘。此式有撩剑之意，两眼看剑尖处。左手太阳着，从头前于右手剑往右边提时，同时顺着身子往下落，落至脐处，手心挨着身子。右足于两手动时亦同时往前迈去，落地

图 31　回马剑

足尖微往外扭着点，步之大小不可有意，务要腿往前迈时与平常行路一样自然，不可勉强。停住之形式如图是也（图 31）。

第三节　兑卦回头望月

图 32　回头望月

即将右手剑老阴着，直着胳膊往上提起，起至头上手仍是老阴，自头上不停，再往右边身后劈去，胳膊伸至极处，手中阴中阳着，剑尖往外仆着点，手高与胸平。两眼看剑中间勿拘，剑往后边劈时，剑尖走一条上弧线，自前边往后边劈过。身子于剑往后劈时，同时往右边扭转，左手中阴中阳着，从脐处于右手剑往上提时，同时往前又往下斜着伸去，伸至极处，手与腿根平。此时右手到头上，右手剑在往后边劈时，左手亦同时再往上起，起至高与右手前后相平，手至太阴停住。再左足于右手剑往上提时同时迈至前边落地，足尖直着微往外摆着点。再右足于右手剑从头上往后边劈时，亦同时迈至前边落地，足尖往外摆着，两腿微弯曲着点。迈左右足时均要自然，意与行路无别。停住之形式如图是也（图 32）。

第四节 兑卦仙人钓鱼

图 33 仙人钓鱼

随即将右手剑中阴中阳，胳膊直着如画弧线往下落，落至离右胯六七寸许勿拘，剑刃亦直着往下落，落至剑尖与剑把相平，剑尖往下低点亦勿拘。左手太阴，胳膊直着，亦如画弧线，于右手剑往下落时同时往上起，起至手过头仍是太阴，与右手上下前后成一斜直线。左足于两手动时亦同时往前迈去落地，足尖极力往外摆着，形式不可停。再将右手剑中阴中阳着，从右胯后边如画下弧线往前边撩去，撩至手老阳，手高与胸平，剑尖与右胁平，两眼望着右手前边看去。再左手太阴着，于右手剑往前边动作撩时同时往外扭，扭至老阴，如画上弧线往左边来，又往下落，落至与右手相平，胳膊直着，手又转至太阴。右足于两手动时亦同时迈至前边落地，足尖极力往里扣着，与左足成倒八字形式，此倒八字形式，两足尖要相离四五寸许勿拘。再将右手剑老阳着，胳膊直着如画上弧线，从右边往左边斫去，胳膊伸至极处，手中阴中阳着，右手高与心口下脐上相平，亦勿拘。身子于右手剑往左边斫时，同时向左扭转，两眼看剑尖处。再左手太阴着往里裹，与右手剑动时同时到小腹处，手心挨着身子，又从小腹处于剑往下斫时，同时顺着身子往上去，胳膊伸至极处，手扭成老阴。再左足右手剑往左斫时，亦同时极力抬起，脚面蹺着，足心挨右膝上边，两腿里根往里缩住劲，头顶劲，身子微往前俯着点，右腿略有曲之意思。停住之形式如图是也（图 33）。

此四节虽有停住形式，亦要一气贯串，学者要细参之。

第十四章　八卦剑应用要法十字

挑、托、抹、挂、剐、搜、闭、扫、顺、截。

挑者，手老阴着，如青龙返首式，往前去挑住敌人之手腕或胳膊皆可，谓之挑。

托者，手老阳着，如白猿托桃式，往前去托住敌人之手腕或胳膊，俱是谓之托。挑时多在敌人剑里，托时多在敌人剑外。

抹者，将敌人之手腕或胳膊用剑挑住或托住后，身形与剑或左或右走去，是谓之抹。

挂者，敌人之剑已及己腕或斫己身右边时，用剑迎在敌剑上边，曲回胳膊，缩回身体，与剑一气往回带敌之剑，随带随出，看势击敌，是之谓挂。

剐者，敌人用手托住左臂或剑将及左臂时，即将左胳膊往右胳膊下边伸去，用剑往左肩前边斫去是之谓剐。

搜者，敌人之剑或斫我上或斫我下，我之剑意在敌先，望敌手腕或左或右似削物然，速去速回，倏[①]忽若电，是之谓搜。

闭者，敌人之剑将出而未出之时，即速用剑堵住敌手不令出剑，此之谓闭。

扫者，上下扫也。敌腕被我用剑挑住，彼欲变法，我速用剑缠绕彼腕，令彼欲变不得，是谓上扫。敌剑斫我里腕或外腕时，即速缩身下式或左或右，用剑望着敌人之腿如扫地一般斫去，谓之下扫。

顺者，敌剑望我击来，我顺彼势随之引出，或敌剑将要抽回，我顺彼势随之送入，皆谓之顺。用此字时，不可强硬进退，均以意为之。

截者，敌剑击来，我速用剑挡[2]住敌腕或剑，令彼不能得势，无分上中下三路，均谓之截。

上十字者即此剑应用之要法也。虽云要法，然用时亦必内而神意，外而手足，与剑合为一体，方可应用咸宜，变化无穷。

注释

①倏：音 shū，同“倐”，极快地，忽然。

②挡：原文“攩”，音 dǎng，同“挡”。

第十五章　八卦剑①变剑要言

八卦剑之道，有正剑，有变剑。正剑即体剑也，亦即八纲剑也。变剑者，自八纲剑互相联合，错综变化而生无穷之形式也。譬之易卦，伏羲八卦为先天卦，是体卦也；文王六十四卦为后天卦，是变卦也，至于周公三百八十四爻，则又变中之变也。或曰是剑既有变化之道，自应与正剑一体，为之图为之解，以贻后学，俾免失传。奈何是编仅举八纲而不及其变乎？②曰：是难言也，鄙意亦何尝不尔。③惟是此剑之理虽与易道变化相同，然此剑形式之变化则与易道有异。易卦形式之变，乾变坤，坤变乾，泰变否，否变泰，④或上变而下不变，或下变而上不变，或上下不变而内卦变，内中之理无论如何变化，外形固皆有迹象之可寻。是剑之变化则不然也。例如乾卦剑中白猿托桃一式，身形不动是此式，身形高矮不同仍是此式；走转一步是此式，走转无数步亦是此式，故剑变身不变者有之，身变剑不变者有之，手与剑不变而足变者固谓之变，身剑手足皆不变，惟眼神所注上下左右有所移换，则亦变也。其变化之至微妙者，外形完全不变而内中之意变，亦不得不谓之变也。一身之变化与天地生物不测之意正同，则其式宁可数计，若为图解，既非若卦画之简易易明，则仍难免罣一漏万之诮。[⑤] 是以提纲振领，仅举正剑之形，不及变剑之式，然学者即身体验，时习力行，求其正即以达其变[⑥]，见仁见智，识大识小，亦各存乎其人，久久精纯，道理自得，充于中，形于外，从心所欲，罔或逾矩[⑦]，静则存动，变则变，而至于化，化而通于神，正剑云乎哉，变剑云乎哉。[⑧]

注释

① 原文无此"剑"字，据本书目录添加。

② 或曰是剑……而不及其变乎：是说剑既有变化之方法，应和正剑一样，有图像、有图解，以贻后学而免失传，为什么仅举八纲正剑而不提变剑呢？贻：赠遗也。

③ 是难言……何尝不尔：是说我亦想说明白，但很难说透。

④ 泰变否，否变泰：泰和否（音pǐ）皆为卦名。泰是乾下坤上，天地交而万物通，顺也。否是坤下乾上，天地不交万物不通，恶也。这里泰变否，否变泰，也是阴阳互变，形式多样。这些变化从表面看是有迹可寻的。

⑤ 一身之变化……罣一漏万之诮：言剑的变化多端，与天地万物的千变万化一样不能测知，更不可以数计，至于神变意变绝非文字和图解所能表达。即便举出数例，终难免挂一漏万之诮。卦画：即表示卦象的形式，如乾为☰，坤为☷。诮：讥讽也。罣：音 guà，同挂。

⑥ 求其正即以达其变：正与变反，但正变皆为法则，这里是说遵循正规法度去做，日久技熟而精，便可达到变化无穷的妙境。

⑦ 罔或逾矩：接上句之意，如能照法去练，则不会不合乎规矩。罔：不也。或：助词。逾：超越。逾矩：不合乎规矩。

⑧ 正剑云乎哉，变剑云乎哉：接上句之意，八卦剑练至精纯，就能变化而通神，从心所欲，无往而不胜，还说什么正剑与变剑？

新书预告

武学名家典籍丛书

孙禄堂武学集注

（形意拳学　八卦拳学　太极拳学　八卦剑学　拳意述真）

孙禄堂　著　　孙婉容　校注　　定价：288 元

杨澄甫武学辑注

（太极拳使用法　太极拳体用全书）

杨澄甫　著　　邵奇青　校注　　定价：178 元

陈微明武学辑注

（太极拳术　太极剑　太极答问）

陈微明　著　　二水居士　校注　　定价：218 元

（第一辑）

李存义武学辑注

（岳氏意拳五行精义　岳氏意拳十二形精义　三十六剑谱）

李存义　著　　阎伯群　李洪钟　校注　　定价：258 元

张占魁形意武术教科书

张占魁　著　　吴占良　王银辉　校注

薛颠武学辑注

（形意拳术讲义上编　形意拳术讲义下编　象形拳法真诠　灵空禅师点穴秘诀）

薛　颠　著　　王银辉　校注　　　　　　　　　　　　　　　定价：358 元

（第二辑）

陈鑫陈氏太极拳图说（配光盘）

陈　鑫　著　　陈东山　陈晓龙　陈向武　校注

董英杰太极拳释义

董英杰　著　　杨志英　校注

许禹生武学辑注

（太极拳势图解　陈氏太极拳第五路　少林十二式）

许禹生　著　　唐才良　校注

（第三辑）

李剑秋形意拳术

李剑秋　著　　王银辉　校注

刘殿琛形意拳术抉微

刘殿琛　著　　王银辉　校注

靳云亭武学辑注

（形意拳图说　形意拳谱五纲七言论）

靳云亭　著　　王银辉　校注

（第四辑）

武学古籍新注丛书

王宗岳太极拳论

李亦畬　著　　二水居士　校注　　定价：50 元

太极功源流支派论

宋书铭　著　　二水居士　校注　　定价：68 元

太极法说

二水居士　校注　　定价：65 元

（第一辑）

手战之道

赵　晔　沈一贯　唐顺之　何良臣　戚继光　黄百家　黄宗羲　著

王小兵　校注

（第二辑）

百家功夫丛书

张策传杨班侯太极拳 108 式　（**配光盘**）

张　喆　著　　韩宝顺　整理　　定价：48 元

河南心意六合拳　（**配光盘**）

李洳波　李建鹏　著　　定价：79 元

（第一辑）

形意八卦拳

贾保寿　著　　武大伟　整理　　定价：49 元

张鸿庆传形意拳练用法释秘　　邵义会　著
王映海传戴氏心意拳精要　　王映海　口述　　王喜成　主编
戴氏心意拳功理秘技　　王　毅　编著

（第二辑）

华岳心意六合八法拳　　张长信　著
程有龙传震卦八卦掌　　奎恩凤　著
杨振基传太极拳内功心法　　胡贯涛　著
刘晚苍传内家功夫与手抄老谱　　刘晚苍　刘光鼎　刘培俊　著

（第三辑）

民间武学藏本丛书

守洞尘技　　崔虎刚　校注
通臂拳　　崔虎刚　校注
心一拳术　　李泰慧　著　　崔虎刚　校注
六合拳谱　　崔虎刚　校注
少林论郭氏八翻拳　　崔虎刚　校注

（第一辑）

心意拳术学　　戴　魁　著　　崔虎刚　校注
武功正宗　　买壮图　著　　崔虎刚　校注
太极纲目　　崔虎刚　校注
神拳拳谱　　崔虎刚　校注
精气神拳书·王堡枪　　崔虎刚　校注

（第二辑）

老谱辨析点评丛书

再读浑元剑经　　马国兴　著

再读王宗岳太极拳论　　马国兴　著

再读杨式老谱　　马国兴　著

再读陈氏老谱　　马国兴　著

（第一辑）

民国武林档案丛书

太极往事　　季培刚　著

（第一辑）

拳道薪传丛书

三爷刘晚苍——刘晚苍武功传习录

刘源正　季培刚　编著　　定价：54 元

慰苍先生金仁霖——太极传心录　　金仁霖　著

习武见闻与体悟　　陈惠良　著

（第一辑）

图书在版编目（CIP）数据

孙禄堂武学集注. 八卦剑学 / 孙禄堂著；孙婉容校注.——北京：北京科学技术出版社，2016.1（2020.6 重印）

（武学名家典籍丛书）

ISBN 978-7-5304-8626-9

Ⅰ. ①孙… Ⅱ. ①孙… ②孙… Ⅲ. ①剑术（武术）- 基本知识 Ⅳ. ①G852

中国版本图书馆 CIP 数据核字（2016）第 230067 号

孙禄堂武学集注——八卦剑学

作　　者：孙禄堂
校 注 者：孙婉容
策　　划：王跃平　常学刚
责任编辑：王跃平
责任校对：贾　荣
责任印制：张　良
封面设计：张永文
版式设计：王跃平
出 版 人：曾庆宇
出版发行：北京科学技术出版社
社　　址：北京西直门南大街 16 号
邮政编码：100035
电话传真：0086-10-66135495（总编室）
0086-10-66113227（发行部）　0086-10-66161952（发行部传真）
电子信箱：bjkj@bjkjpress.com
网　　址：www.bkydw.cn
经　　销：新华书店
印　　刷：保定市中画美凯印刷有限公司
开　　本：787mm × 1092mm　1/16
字　　数：77 千字
印　　张：9.5
插　　页：4
版　　次：2016 年 1 月第 1 版
印　　次：2020 年 6 月第 5 次印刷
ISBN 978-7-5304-8626-9 / G·2534

定　　价：35.00 元